D0035836

El cementerio de automóviles

El Arquitecto y el Emperador de Asiria

Fernando Arrabal

El cementerio de automóviles

El Arquitecto y el Emperador de Asiria

Edición de Diana Taylor

SEGUNDA EDICIÓN

CATEDRA

LETRAS HISPANICAS

Ediciones Cátedra, S. A., 1989
Josefa Valcárcel, 27. 28027-Madrid
Depósito legal: M. 30.132-1989
ISBN: 84-376-0470-2
Printed in Spain
Impreso en Lavel
Los Llanos, nave 6. Humanes (Madrid)

Índice

a mi maestro
Farris Anderson,
por tanto.

AGRADECIMIENTOS

A mis amigos Fernando Samaniego y Carl Dennis,
por sus sugerencias.

A mi asistente, Cory A. Reed, por su paciencia.

Introducción

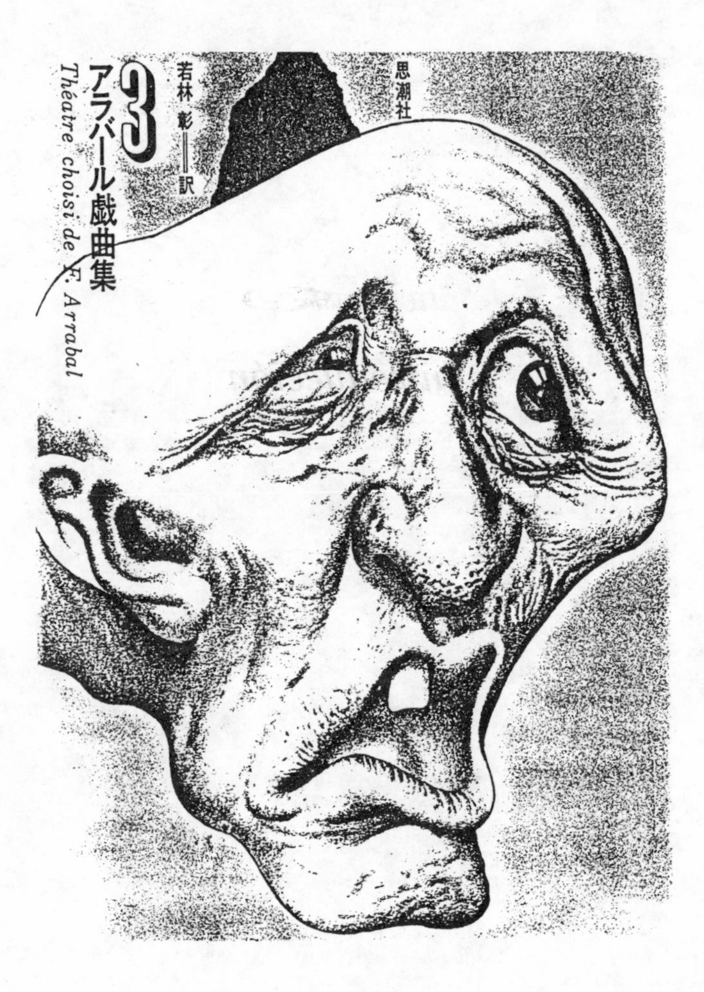

Cubierta de la edición japonesa.

Teoría dramática de Fernando Arrabal

A partir de su temprana experimentación con el teatro a la edad de cinco años, Fernando Arrabal se hace «dramaturgo por urgencia. Cuando queremos decir las cosas rápidamente utilizamos el teatro»[1]. Arrabal construyó su primer teatro de cartón como un recurso que sustituye su comunicación con la madre ausente[2]. Como describe en su novela autobiográfica *Baal Babilonia:*

> Al principio, ponía muchos personajes. Luego, las hacía con pocos, y así, podía moverlos sin que tropezaran.
>
> Lo construí en Villa Ramiro con una caja de cartón.
>
> El interior quedaba iluminado con dos velas disimuladas.
>
> Al principio ponía muchos decorados pintados en cada pieza. Luego sólo ponía uno —sin pintar— y así no tenías que esperar que los cambiara.
>
> Como que a Elisa le aburría leer el texto, yo hacía todos los papeles cambiando de voz.
>
> Al principio, los personajes entraban y salían muchas veces. Luego los personajes no entraban ni salían casi, así tú seguías mejor lo que decían.

---

[1] Arrabal-Taylor, entrevista inédita, Dartmouth College, noviembre de 1982.

[2] La edición de Ángel Berenguer en Cátedra de las obras de Arrabal: *Pic-nic, El triciclo, El laberinto,* incluye una excelente «cronobiografía de Fernando Arrabal», por lo cual no proporcionaremos datos biográficos en esta edición.

En Madrid, sustituí las dos velitas por dos bombillas de linterna.

Al principio, los personajes hacían cosas importantes.

Luego, hacían las mismas cosas que nosotros y así, tú me hacías más comentarios.

En Madrid, lo coloqué en mi cuarto. De vez en cuando daba una representación para ti.

Al principio, dividía cada pieza en varios actos, y así tú no te distraías.

Cada personaje estaba colocado sobre una ventanilla de madera y así podía moverlos desde fuera.

Al principio mi teatro era de cartón. Luego, en Madrid, hice uno de madera que a ti te gustó más.

En este estado embrionario advertimos la preocupación de Arrabal por la interacción entre su teatro y su público. Diseñó sus obras para agradar y distraer a su madre y provocar sus comentarios. En su madurez creativa sus obras siguen exigiendo la (re)acción del público. Deleitan, ofenden, o chocan, pero no son indiferentes. Su teatro despierta tal atención que Arrabal es hoy uno de los dramaturgos más publicados y representados en el mundo. Pero es más interesante entender el tipo de teatro escrito por Arrabal, las tradiciones de la que surge su dramaturgia, que detenerse en los rasgos espectaculares de sus obras como trucos publicitarios para abrirse a la fama, o a la infamia. Se destaca en seguida no sólo la unidad orgánica de su obra, sino también el papel central del público como parte del espectáculo. El teatro de Arrabal no pide ser contemplado; exige la complicidad del espectador en la experiencia teatral —teatro-ceremonia, teatro-psicodrama, teatro-proceso— que transforma al individuo y su sociedad.

La producción dramática de Arrabal, no obstante su sorprendente originalidad, conecta con una larga tradición de teatro catártico que remonta a la Grecia preclásica[3]. Los elementos ritualistas y anti-estéticos de su

[3] Es imposible discutir los orígenes del teatro con seguridad, aunque los antropólogos están de acuerdo generalmente en que se desarrolló a

obra —la crueldad, lo grotesto, el sobresalto— funcionan como medios para provocar los efectos purgativos inherentes a la producción teatral. La violencia que caracteriza sus obras recuerda la descripción nietzschiana de los rituales dionisiacos:

> En casi todos los casos estos festivales se centraban en extravagantes libertinajes sexuales, cuyas ondas sacudían la vida familiar y sus venerables tradiciones, desatando los instintos naturales más salvajes, incluyendo esa horrible combinación de sensualidad y crueldad[4].

Pero la vehemencia anarquista que ataca las tradiciones venerables y la estructura social funciona de hecho como agente benefactor. Como observa René Girard:

> el rito puede ser el resultado de la violencia y estar impregnado de violencia, pero aspira a la paz... a promover la armonía entre los miembros de la comunidad[5].

El ritual, como destaca Mircea Eliade, involucra a la comunidad en la «renovación del tiempo y la regeneración del mundo»[6]. La colectividad procura su identificación con el ciclo natural por medio del sondeo de los misterios de la vida y la muerte, aniquilación y regeneración, momentos claves de la existencia reiterados en el continuo proceso vital. Arrabal, dramaturgo por urgencia, adopta el género dramático por su poder de transformación de la sociedad *(Cementerio)* como del individuo *(Arquitecto)*. El teatro «necesario» excluye el predominio de la forma, y los grandes innovadores del siglo XX, Artaud, Brecht, Moreno, Grotowski, Brook,

---

partir de mitos y y ritos antiguos. Sin embargo, Gerald F. Else en *The Origin and Early Form of Greek Tragedy,* nos recuerda que toda teoría acerca de los orígenes del arte dramático es especulativa.

[4] F. Nietzsche, *El nacimiento de la tragedia,* Sección II.

[5] René Girard, *La Violence et le Sacré,* París, Editions Bernard Grasset, 1972, pág. 194.

[6] Mircea Eliade, *The Sacred and the Profane,* trad. Willard R. Trask, Nueva York, Harcourt, Brace and World, 1959, pág. 147.

Beck, y Malina, por citar unos pocos, remontan modelos clásicos con el fin de provocar un cambio en el espectador. Todos ellos, en formas diferentes y con distintos propósitos, repudian la filosofía del «arte por el arte» y abogan por un «arte por la vida». Brecht utiliza la antigua época para agudizar, con técnicas distanciadoras, la visión crítica del hombre. Por medio del teatro pretende en el fondo operar cambios sociales, atraído como Jean Duvignaud, por su poder sociológico. Como escribe Duvignaud en *Les Ombres Collectives: Sociologie du Théatre*[7], «el teatro es un instrumento de provocación, una invitación a la acción». Para Grotowski el teatro provee una confrontación mítica que desemboca en una transformación personal y colectiva ya que el teatro «no es una condición, sino un proceso en el que lo oscuro dentro de nosotros se va haciendo transparente»[8]. Para Brook, Beck y Malina el «espacio vacío»[9] se convierte en el escenario de una confrontación vital entre individuos, un acto necesario, un «teatro vivo»[10]. El nuevo teatro —un nuevo comienzo más que un nuevo tipo de teatro— representa lo que el director Harold Clurman considera un regreso a los orígenes del teatro:

> Esta tendencia, en boga hoy, es llamada nuevo teatro. En realidad marca un retorno a los orígenes del teatro. Las palabras no constituyeron el centro de ritos y celebraciones de comunidades primitivas[11].

Artaud, con quien se relaciona más frecuentemente a Arrabal, se destaca como el portavoz más radical del

---

[7] Jean Duvignaud, *Les Ombres Collectives, Sociologie du théatre*, París, Presses Universitaires de France, 108, Boulevard Saint-Germain, 1973, pág. 586.

[8] Jerzy Grotowski, *Towards a Poor Theatre*, Nueva York, A Touchstone Book, Simon and Schuster, 1968, pág. 21.

[9] Peter Brook, *The Empty Space*, Nueva York, Atheneum, 1968.

[10] Julian Beck, *The Life of the Theatre*, San Francisco, City Lights, 1972.

[11] Harold Clurman, *On Directing*, Nueva York, Collier Book, Collier MacMillan Publishers, 1972, pág. XI.

teatro catártico de este siglo, sobrepasando con mucho el aristotélico «agradable sentimiento de purgación y alivio... un júbilo en absoluto nocivo»[12].

Artaud recrea el ritual dionisiaco con todo su frenesí y la ferocidad descritos por Nietzsche con objeto de provocar un «desastre social». El teatro de la crueldad funciona como una plaga metafórica que expone a los espectadores a un delirio inducido y controlado que, aun aterrorizante y arriesgado, acaba por resultar beneficioso. El espectador emerge de la experiencia purificado, sano y salvo.

Arrabal da un paso más allá de Artaud al llevar al escenario la ceremonia catártica y dar forma concreta al espectáculo que Artaud imaginó y no supo realizar. Ignorando la teoría artaudiana al iniciar su carrera literaria, Arrabal reconoce que su teatro no se inscribe en el teatro del absurdo sino en el teatro de la crueldad: «Artaud lo ha previsto todo. Ha hablado de *El Emperador de Asiria.* Ha hablado del pánico. Ha descrito de antemano la puesta en escena de *Cementerio*»[13]. En una reciente entrevista inédita reitera el nexo entre ambos:

> La teoría de Artaud me parece una teoría de visionario, de profeta, de poeta. Esos textos *(El teatro y su doble)* se diría que fueron escritos tras haber visto (voy a ser muy presumido) mis obras, especialmente mis obras[14].

---

[12] Aristóteles, *Política,* VIII, 7.

[13] Alain Schifres, *Entretiens avec Arrabals,* pág. 72.

[14] Arrabal-Taylor, entrevista inédita, Dartmouth, noviembre de 1982. En la misma entrevista, Arrabal, como Artaud anteriormente, ataca las normas del teatro occidental:

> Había una norma de buena conducta. No se podían hacer una serie de cosas en el teatro. Para comenzar había un espacio que no se podía cambiar; habían unos ciertos temas que no se podían tratar. En el teatro prácticamente no se comía, no se bebía, no se hacía el amor, no se orinaba... sin que estuviera señalado que estaba prohibido, por el hecho que a lo largo de siglos se escribieron obras formidables sin tratar estos temas. Entonces tácitamente se creyó que en el teatro no podían entrar estos elementos. Se consideraban anti-estéticos.

Arrabal, como antes Artaud, exige un teatro orgánico e integral que se dirige al espectador como ser total por medio del intelecto, las emociones y los sentidos. El lenguaje del teatro que durante siglos dominó el teatro tradicional se traduce en el lenguaje escénico, un «lenguaje único a medio camino entre el gesto y el pensamiento»[15].

Arrabal, le quita importancia al lenguaje en su teatro, tanto que algunas de sus obras prescinden absolutamente del diálogo. Se puede afirmar que ya en *Cementerio* las técnicas no verbales asumen el papel tradicionalmente reivindicado por el lenguaje: como ubicación de escena, descripción poética, introducción de imágenes, exposición de la trama y desarrollo del conflicto. En *Cementerio* el mismo decorado funciona como imagen central de una sociedad del deshecho. Las órdenes y susurros que interrumpen el silencio comunican la hostilidad candente en un mundo claustrofóbico de opresores y oprimidos. Los ronquidos y el sonido de la orina, el rock rítmico asociado al coito nos sugieren que la vida en el cementerio se consume en el nivel más básico. Asimismo la música lírica de la trompeta de Emanu le aísla de los habitantes del erial, evocando una existencia menos física de una belleza que hace la vida soportable. En *Arquitecto,* el lenguaje funciona como juego, como una máscara diseñada para mantener el delirio de grandeza del Emperador[16]. Por medio de exclamaciones rimbombastas, rápidos cambios de tema y quiebros lingüísticos el Emperador utiliza el lenguaje como arma y armadura, agrediendo verbalmente al Arquitecto para proteger su propia imagen.

El empleo del lenguaje, radicalmente alterado,

---

[15] Artaud, *El teatro de la crueldad,* Premier manifeste, *Le Théatre et son Double,* pág. 136.

[16] Para un estudio detallado del lenguaje en *El Arquitecto y el Emperador de Asiria,* veáse «Language as Mask in Two Plays by Arrabal» de Roberta Quance, *The American Hispanist,* núm. 12, 3, 1977, págs. 4-7.

subraya una visión del mundo fundamentalmente diferente a la mantenida por medio de diálogo coherente y racional. Para Arrabal el mundo no es ni coherente ni racional sino todo lo contrario: «Creo que la mayoría de la gente vive en un estado de confusión total, pero donde no hay confusión no hay vida»[17].

Un lenguaje ilógico expresa las limitaciones de la misma lógica, como demuestran las palabras de Emanu: «las jirafas se montan en los ascensores porque se montan en los acensores». Arrabal prescinde de la forma racionalizada del drama convencional a la hora de poner en escena su visión del caos. Fragmenta la línea narrativa de sus obras al yuxtaponer juegos y escenas episódicos. En *El Arquitecto y el Emperador de Asiria,* tras un laberinto de juegos, pseudoconfesiones y juicios, averiguamos que el Emperador ha asesinado a su madre. Pero sin duda su recreación del hecho es más importante en términos temáticos y teatrales que el hecho en sí. Sirviéndose de la pasión de Cristo como paradigma en *El cementerio de automóviles,* Arrabal modula una visión y una mecánica del sacrificio humano. El proceso, no la trama, es lo central, ya que para él el teatro es un acto, no un argumento.

El teatro como acto sondea y extiende la periferia de la comprensión humana y sus limitaciones. Estas dos obras ejemplifican el proceso transformativo en dimensiones diferentes, apuntados ya desde sus títulos, ya que el *Cementerio* implica a toda una sociedad en tanto que *Arquitecto y Emperador* se centra en lo individual. El uso del rito en *Cementerio* destaca la naturaleza colectiva del espectáculo[18]. El espectador, sentado en el esce-

---

[17] Bettina Knapp, «Interview with Fernando Arrabal», *First Stage,* vol. 6, núm. 4, Indiana, Purdue Univ. (1967-1968), págs. 198-201.

[18] Como observa R. F. Hardin, en «"Ritual" in Recent Criticism: The Elusive Sense of Community», la consecuencia del enfoque «literatura como rito» aleja la literatura del ámbito del ser, señalando el «mundo» de la obra o el poema, más allá de la psique del autor o lector, *PMLA,* 1983.

nario, pasa a ser miembro integral de la colectividad involucrada en el proceso expiatorio de una sociedad que trata desesperadamente de protegerse y prolongarse. *El Arquitecto,* por el contrario, tiende hacia la reescenificación psicodramática del Emperador embarcado en el viaje alucinado de su propia demencia. Ambas obras destacan los repetidos intentos del hombre por capear el tormentoso ciclo vital. Todos los actos en el *Cementerio* no son sino repeticiones *ad infinitum;* y cada sacrificio proporciona sólo un alivio momentáneo de la violencia desenfrenada de la autodestrucción. Los momentos de armonía alcanzados por el Arquitecto y el Emperador se astillan en una fragmentación incesante. *El Arquitecto* demuestra que incluso la muerte es en el fondo un juego como los otros, y el Arquitecto y el Emperador escenificarán para siempre la búsqueda de la integración personal. La vida nunca cesa —allí yace nuestra tormenta—, allí yace nuestra esperanza.

El concepto del teatro como proceso distingue a Arrabal de los dramaturgos del absurdo con los que ha sido asociado erróneamente por algunos críticos. Es cierto que se pueden observar semejanzas estilísticas entre él y, por ejemplo, Beckett y Ionesco. Como se señaló al tratar del lenguaje y la trama, el teatro de Arrabal como el del absurdo, expresa «la insuficiencia del acercamiento racional por el abandono de categorías racionales y el discurso lógico»[19]. Pero los dramaturgos del absurdo muestran una situación petrificada —nada sucede ni sucederá. Los protagonistas, atrapados en la estructura circular de *Esperando a Godot* o *La cantante calva,* por ejemplo, olvidan el sentido de su espera. Por el contrario, en *El Arquitecto* el ciclo renovador ofrece la posibilidad de regeneración. La vida continúa, con todas las frustraciones experimentadas por el Emperador, pero con la magia y el poder encarnados en el Arquitecto. En *Cementerio* el sufrimiento y la muerte de

---

[19] Martin Esslin, *The Theatre of the Absurd,* Harmondsworth, Penguin Books Ltd., 1961 (reimpreso en 1972), pág. 24.

Emanu atajan la estancada circularidad de un mundo suicida. Su muerte afirma la trascendentalidad de la bondad y el sacrificio. El teatro de Arrabal no se complace en dar una imagen desesperada del mundo aunque sí advierte el peligro de la alienación social y personal. El espejo descomunal de Dila refracta la imagen de un mundo caótico. Como el esperpento valleinclanesco, nos conduce por «el callejón del Gato» en cuyos espejos cóncavos observamos el grotesco reflejo de nuestra grotesca realidad. Al mismo tiempo, el teatro de Arrabal despierta en nosotros el poder redentor inherente en la naturaleza, incluyendo la humana. ¿Cuándo escucharemos la música de Emanu? ¿Cuándo descifraremos la visión del *Paraíso* de Dante y comprenderemos «el amor sagrado que pone en movimiento al sol y a las estrellas»? En *Cementerio* y *El Arquitecto y el Emperador de Asiria* la escena final promete un nuevo comienzo. El teatro como proceso aprehende la vida en su incesante metamorfosis. Como dice Arrabal, «Para mí el teatro sigue siendo una ceremonia: es un banquete sacrílego y sagrado, erótico y místico, que abarcaría todas las facetas de la vida, incluyendo la muerte, en el que el humor y la poesía, la fascinación y el pánico serían uno»[20].

---

[20] Bettina Knapp, «Interview with Fernando Arrabal», pág. 201.

El cementerio de automóviles

Arrabal, en *El cementerio de automóviles,* retrata una sociedad moribunda en conflicto consigo misma. A diferencia de *El Arquitecto y el Emperador de Asiria,* aquí la oposición dramática no se concentra en la interrelación mítica entre dos personajes simbólicos, sino que el conflicto se genera en una sociedad en desintegración, divorciada de cualquier sistema de valores. Sus miembros, forzados a vivir en un mundo inhabitable, se ocultan en esqueletos metálicos. Privados de toda comunicación significante, y condenados a una penosa convivencia, reaccionan con hostilidad y violencia. Desde la primera frase, la obra sumerge al espectador en ese mundo de violencia espectacular que se refleja estructural y temáticamente. Nosotros, encerrados en esa esfera turbulenta, debemos experimentar, por medio del teatro, la violencia expiatoria del sacrificio humano.

La obra nos enfrenta a los escombros del orden social: coches deshechos, arreglados como casitas en miniatura, proporcionan albergue temporal a los huéspedes invisibles que disfrutan del refugio negado al pobre. Los señores del viejo orden han perdido su posición de autoridad, en otro tiempo protegido por nociones tradicionales de responsabilidad de clase. Viven entre cascajos, solos o en pareja, preocupados tan sólo por las funciones básicas de la vida y sin proferir más palabras que las quejas y reclamos dirigidos a sus sirvientes. Nunca se miran directamente, necesitan prismáticos para entregarse en privado a su curiosidad «voyeurista». Sus moradas, coches apilados contra un fondo de «automóviles amontonados», presentan una poderosa metáfora visual de una civilización que, regida por el vértigo de la producción de consumo, acaba siendo, irónicamente, una sociedad residual[1]. El hombre, en este contexto, padece doble mengua —la pérdida de la naturaleza por un lado, y de la cultura del otro. Nuestra historia traza un movimiento regresivo que conduce al hombre a una caverna moderna (los automóviles).

En esa involución, el lenguaje se degrada a mera concha protectora. El peyorativo «señores» protege a Milos y a Dila del contacto directo con los invitados: «¿Qué quieren los señores»?, «¿Quieren los señores que se lo sirva en la cama?», «¿Qué quieren desayunar los señores?» Como observa Roberta Quance en «Language as Mask in Two Plays by Arrabal»:

> El teatro de Arrabal ataca la palabra que vela más que revela el mundo —el cliché, la palabra como fórmula petrificada que puede ocultar fácilmente lo opuesto de lo que sugiere[2].

En *Cementerio* reconocemos la fórmula, pero la máscara lingüística no llega a ocultar toda la hostilidad que esta gente siente por sus semejantes. Fastidiados por la presencia de los otros, ansían, como Dila, «silencio».

Pero en este mundo el silencio de la noche no ofrece reposo, sino incrementa la tensión y provoca más angustia sobre los residentes fantasmagóricos: «¿Pero es que no se pueden estar quietos?», pregunta el hombre del coche 2 a Tiosido y Lasca: «Perdone: no lo hace-

[1] Arrabal subraya la importancia de lo visual en su obra: «...es a partir de lo visual como me inspiro a escribir. Primero veo la idea y luego la organizo dramáticamente», Bettina Knapp, *Interview with Fernando Arrabal.*

[2] Roberta Quance, «Language as Mask in Two Plays by Arrabal».

mos aposta.» Al leer «silencio», agudizamos el oído para escuchar, como en el teatro a oscuras, la vida hormigueante bajo la superficie. Sentimos, porque no podemos ver o escuchar, los cuerpos que nos rodean, escondidos tras los débiles tabiques de chatarra y las cortinas de trapo. Los espectadores experimentamos la tensión al sentarnos literalmente en medio del espacio escénico, sin ser vistos ni oídos, encerrados por el decorado, como parte integral de la colectividad[3].

En el corazón oxidado de la civilización, los miembros de la comunidad, incapaces de interacción directa, se aferran a rutinas mecánicas. La estratificación social residual provoca ejercicios de servidumbre. Milos desempeña grotescamente los ritos de obediencia, vestigio de algún antiguo orden en el que el servicio poseía cierta dignidad social. Ahora ejecuta sus deberes automáticamente, sirviendo cuando ya no queda autoridad justificable y forzando a Dila a una subyugación semejante. La necesidad de mantener el sistema parece más urgente una vez que ha desaparecido la justificación de tal sistema, y Milos realiza su rutina con la misma meticulosidad con que abrillanta «un par de botas sucísimas y destrozadas... Muy elegantemente escupe sobre las botas». La compulsión de adherirse a rutinas vacías halla un mejor énfasis en Lasca y Tiosido, quienes representan respectivamente la servidumbre y el dominio totalmente desgajados de todo sentido social. Su carrera ob-

---

[3] Arrabal sitúa al espectador en un *junkyard-in-the-round,* según observa Louise Fiber Luce, en «The Dialectic of Space: Fernando Arrabal's *The Automobile Graveyard*», *Journal of Spanish 20th Century,* vol. 2, núm. 1, primavera, 1974, pág. 33:

> ...rodeado por varias zonas y niveles donde se desarrolla la acción. Arrabal altera radicalmente el flujo de energía dramática normalmente producido por el *theatre-in-the-round.* El público no rodea el escenario de manera que la energía iniciada por la obra parta centrífugamente, emanando del escenario al público. Por el contrario, al tratarse de un escenario que rodea al público, la energía dramática se contrae e intensifica, reforzando y vinculando al espectador, encerrándolo en su matriz donde su poder generador es más fuerte.

sesiva, dirigida a quebrar un récord imaginario, traiciona un puro instinto de dominación y de sumisión. Separados de todo contexto, presos en el vacío rutinario, sus roles se vuelven intercambiables.

En *Cementerio* la ruptura del orden social deja un terreno yermo de hostilidad sin nombre y de conflictos indefinidos. Los susurros coexisten con las órdenes, los besos con los gritos, en una tierra de oprimidos y opresores. Los personajes corren ciegamente la «carrera» empujándose por laberintos de deberes y estrellándose contra barreras físicas, lingüísticas y sociales. El mundo claustrofóbico se asemeja a una carrera de ratas en la cual la presión generada internamente parece perpetuarse. La estructura de la obra, como el acorralante decorado, funciona como una trampa metafórica. La yuxtaposición de varias «rutinas» breves, episódicas, incoherentes, conforman un laberinto extenuante. El ritmo contrapuntual se acelera de manera tal que simultáneamente, impidiendo el progreso y el reposo, nos sume en el vértigo de la acción repetitiva, en la suspensión paradójica y abismante de una carrera inmóvil.

Con todo, la llegada de Emanu en la escena VII disminuye momentáneamente la tensión creada por la estructura, el lenguaje y la enconada interacción de los habitantes[4]. El ritmo de la acción decrece con esta aparición que destaca su singularidad. La violencia plástica y sonora cede. Por vez primera en la obra, sonidos líricos (extensión de la voz humana) llenan en lugar de invadir, el silencio: «En el silencio su trompeta suena durante largo tiempo.» Es cierto que los patrones de actividad frenética, ya familiares, interrumpen transitoriamente la tranquilidad de los tres músicos sentados en sus hamacas. Los huéspedes exigen «una mujer... una criada». Milos vende a Dila, Lasca empuja a Tiosido. Sin embargo, la brutalidad no parece afectar a los músi-

[4] Ángel Berenguer nos da un análisis detallado de la estructura de la obra «Structure Argumentale», en *L'exil et la ceremonie: Le premier théatre d'Arrabal*, págs. 266-287.

cos: «Han contemplado la escena con curiosidad, pero sin mostrar la menor sorpresa.» Como personajes externos al cementerio, permanecen al margen, manteniendo su conversación ajenos a las intrusiones del mundo circundante.

Así como su trompeta llena el silencio, las palabras de Emanu van más alla del vacío que rodea a los demás. Pausas largas no malogran su diálogo, revelando su deseo de comunicarse, en una actitud que contrasta raigalmente con la observada en ese espacio baldío. En su lenguaje de amor llega incluso a operar una inversión de los signos negativos, transformándolos en metáforas ascendentes: «Quiero que mi boca sea una jaula para tu lengua y mis manos golondrinas para tus senos.» Esta dimensión erótica y unitiva alcanza en el contexto las proporciones de un verdadero escándalo, o mejor, un milagro.

Con la llegada de Emanu, el lenguaje recupera sus poderes de exposición, definiendo explícitamente que la hostilidad que impregna el mundo del cementerio se centra en Emanu. Todas las noches, cuando los músicos tocan para los pobres, la policía los persigue, no por ser criminales, sino por la generosidad que caracteriza la personalidad de Emanu. En una tierra dominada por la disolución de todo ideal y en la que el servicio mecánico, la sumisión y la explotación regularizan la interacción humana, la conducta de Emanu sobresale por su altruismo. Su entrega a los pobres, proveniente de un genuino y espontáneo deseo de dar, escapa a la tradición muerta del cementerio. Su música, más allá de lo puramente físico, comporta un ascenso hacia valores espirituales. Más aún, imbuido de auténtica humildad, Emanu no se arroga en ningún momento misiones redentoras; por el contrario, a lo sumo aspira a aliviar la carga de la existencia.

El desprendimiento de Emanu, que despierta en otros el sentimiento de caridad, acentúa la diferencia entre él y Milos. Por eso mismo la entrega que Dila hace de su propio cuerpo a los otros adquiere una dimensión sacramental, marcando una diferencia de sentido respecto al ejercicio de la prostitución. El beso, el don de sí misma, son ritos de la pasión en la aceptación cristiana del término: entrañan sufrimiento. El hecho de abandonarse en manos de los policías para salvar a Emanu constituye otra etapa más radical de autoinmolación. A pesar de pertenecer al mundo caído, ella, inspirada por Emanu, es la única en el cementerio que desea «ser buena».

La oposición establecida en la obra se centra en dos tipos de servicio: la deformada idea de servilismo y el tradicional ideal cristiano de caridad. La preocupación de Emanu por los pobres es descrita como cristiana. Así como le recuerda Topé:

> ya sabes cómo se han puesto contra ti los otros. Desde que el otro día diste de comer a todo el baile con una sola barra de pan y una lata de sardinas están que muerden.

La identificación de Emanu con Cristo, establecida en el primer diálogo auténtico de la obra en la escena VII, proporciona al hasta ahora estancado drama un «pretexto» lineal, «una unidad, tomada de una fuente externa»[5]. Los tres músicos, Emanu, Foder y Topé representan a Cristo, Pedro y Judas respectivamente en tanto que Dila es una especie de María Magdalena. La obra, en su nivel más inmediato, muestra la re-escenificación de la pasión y muerte de Cristo.

La armadura bíblica, con el obvio paralelo entre Emanu y Cristo, presenta serios problemas a los críticos de *Cementerio*[6]. Concluyen que, puesto que Emanu re-

---

[5] Luis Oscar Arata, *The Festive Play of Fernando Arrabal,* pág. 34.

[6] La exposición recargada provoca comentarios como los siguientes: Guicharnaud observa irónicamente: «Emanou, in *Le Cimenteire des voitures,* says he kills people. "Not many", and only to do them a favor when he sees they're in bad trouble; but then he is an image of Christ (Emanou: Emmanuel, get it?)» Jacques Guicharnaud, «Forbidden Games: Arrabal», *Yale French Studies,* vol. 29, 1962, pág. 117.

vive el sacrificio de Cristo, la obra fundamental se centra en la figura de Cristo, es decir, la obra se ocupa fundamentalmente del «tratamiento burlesco de la pasión de Cristo» (Podol), de Cristo como figura inefectiva (Gille), etc. No obstante, toda lectura de Emanu como Cristo ofrece más preguntas que respuestas. ¿Cómo puede ser que el hijo de Dios mienta y mate? ¿Cuál es la tesis teológica de la obra al presentarnos un salvador hipócrita? Siguiendo esta línea de interpretación, nos veríamos forzados entonces a concluir que la obra, no la perspectiva, resulta defectuosa. En el mejor de los casos, para reivindicarla tendríamos que replegar a segundo plano la línea temática y destacar la dimensión del espectáculo.

Sin embargo, resalta a primera vista que la cohesión de la obra se vuelve evidente tan pronto como cambiamos de perspectiva. La identificación entre Cristo y Emanu yace, no en su origen divino, sino en su capacidad de sufrimiento. Ambos son víctimas que absorben la agresión que la sociedad les inflige. La obra se ocupa del fenómeno sociológico del sacrificio más que de la viabilidad del cristianismo en un mundo moderno y mecanizado. La pregunta central no es en qué medida

---

Según Thomas John Donahue, «The play is a naive and simplistic representation of Christ's passion and death». John Thomas Donahue, *The Theatre of Fernando Arrabal,* pág. 12. Bernard Gille, *Arrabal,* pág. 48, considera a Emanu como un Cristo ineficaz: «Emanou n'aura change que peu des choses... Emanou est un Christ sans espoir de Resurrection.» Peter Podol escribe: «Emanou and his morality constitues an integral component of the thematic fiber of the play. His role as a Christ figure is overly explicit; Arrabal seems to be caricaturing both his own parable and the original myth in order to communicate the distortion imposed that deprives it of all meaning.» Louise Fiber Luce concluye su estudio «The Dialectic of Space» negando una relación concreta entre la estructura y el tema de *Cementerio:* «The question will be asked, 'What is this impure world? Who is Emanou? What do they represent?' I would like to submit that they represent nothing... Arrabal invites us as spectators to enter this space (call it nightmare, wonderland, or waste land), to experience it, to draw what we can from its vitality.» Louise Fiber Luce, «The Dialectic of Space: Fernando Arrabal's *The Automobile Graveyard*», págs. 35-36.

Emanu representa a Cristo, sino por qué la sociedad (y nosotros como miembros de esa sociedad) exige un chivo expiatorio.

El cambio de perspectiva elimina la mayoría de las objeciones dirigidas a Emanu. No se trata de denunciarlo como un Cristo degradado y sacrílego, sino reconocerlo como víctima demasiado humana. El nombre Emanu, como sugiere el análisis etimológico de Ángel Berenguer, subraya la humanidad del protagonista:

> Emanou es el nombre hebreo «Emmanuel» privado del sufijo «el» que precisamente significa «Dios». Así pues, si Emmanuel quiere decir «Dios con nosotros», Emanou significa «con nosotros»[7].

Emanu no provoca la violencia a él dirigida. La obra indica que su persecución no implica en modo alguno retribución justa por sus delitos de eutanasia. Su muerte patentiza no tanto la mecánica de la ley y la justicia sino la del sacrificio.

La humanidad de Emanu no menoscaba su papel sociológico de chivo expiatorio. Desde esta óptica apenas importa que mienta o asesine, ya que sabemos que los prisioneros de guerra, los inocentes y los animales han sido víctimas sacrificiales a lo largo de épocas diferentes. Su carácter marginal es lo que lo convierte en víctima propiciatoria porque al atacarle a él, que no pertenece al cementerio, la sociedad cree que puede inmolarlo sin menoscabarse a sí misma. Su muerte, a diferencia del ataque al niño al final del Acto Segundo, no puede interpretarse como un paso hacia el suicidio social.

Pero la muerte de Emanu, aunque no comporte riesgo social, adquiere enormes proporciones ya que al matarle la sociedad elimina su mejor parte, la aspiración al bien. Con todas sus imperfecciones, Emanu es el único que se aferra a una definición de la bondad que ha

[7] Ángel Berenguer, *Exil,* pág. 31

memorizado sin comprenderla en absoluto. Anhela ser bueno; sus acciones equívocas pretenden ayudar a sus semejantes. Pero la caridad no pasa de ser un concepto ajeno en una cultura inerme. Y él, contagiado por la vacuidad moral, debe explicar su inclinación al bien en términos que derivan más de la propia satisfacción que de una doctrina ética transcendente:

> Porque cuando se es bueno se siente una gran alegría interior que proviene de la tranquilidad en que se halla el espíritu al sentirse semejante a la imagen ideal del hombre.

No es extraño que Emanu, perdido en el vacío del cementerio, llegue a olvidarse de su fórmula de la bondad, que ha de recuperar poco antes de morir, subrayándose así que su definición, por tenue que sea, es la única referencia en un mundo moralmente indefinido. El beso apasionado que le da Dila en el momento de la ejecución debe ser visto como el reconocimiento y la reafirmación de los valores encarnados en Emanu. Formalmente, este beso marca en la obra un contrapunto al beso de Topé que cifra la traición de Judas, afianzándose así el tejido de correspondencias casi simétricas que va hilvanando la obra. En cuanto al sentido, el beso de Dila la revela como la única conciencia sana y lúcida en un mundo signado por una aguda indigencia espiritual.

La flaqueza humana de Emanu no excluye la dimensión transcendental de su muerte. Un análisis del mecanismo sacrificial deja entrever la naturaleza ambivalente del chivo expiatorio que

> tiene una connotación dual. Por una parte es una figura ambrumada, objeto de desprecio... un blanco para todo tipo de mofas, insultos y, por supuesto, arrebatos de violencia. Por otra parte, lo hallamos rodeado de un aura de veneración casi religiosa, convertido en el objeto de cierto culto[8].

[8] Girard, *op. cit.*, pág. 138.

Aunque la crítica reconoce en Emanu un «objeto de desprecio», no alcanzan a ver su carácter sagrado sino como una parodia de Cristo. Sin embargo, el aura casi religiosa no deriva de su comparación con Cristo, hijo de Dios, sino de su rol de víctima —ejemplificando así la relación entre lo sagrado y la violencia estudiada por Girard. Por esta condición la muerte de Emanu despierta tanta veneración como infunde temor.

A pesar de su aura venerable, Emanu no deja de ser un protagonista desconcertante. Su capacidad de sufrimiento, su aspiración al bien no oculta la ausencia de los rasgos heroicos que distinguen a los destinos trágicos. A diferencia de Edipo o Hamlet, por ejemplo, es incapaz de indagar sobre la índole de los males que estragan la sociedad que ha de aniquilarlo. Como Edipo y Hamlet, Emanu parece haber nacido para sufrir. Edipo aborrece su papel: el «más maldito entre los hombres». Hamlet lamenta que... «¡El mundo está fuera de quicio! ¡Oh, suerte maldita, que haya nacido yo para enderezarlo!»[9]. Emanu presenta la fatalidad de su sino («voy a tener mucho miedo»), pero no experimenta ni cólera ni conflicto. Se somete a su curso —como el cordero sacrificial. Continúa tocando música para los pobres no obstante el riesgo personal ya que no contempla otro modo de beneficiar a sus semejantes: «en cuanto encontremos otra cosa mejor para ellos y que nos cueste menos trabajo dejaremos de tocar todas las noches». Emanu no comparte la claridad de visión que hasta cierto punto compensan a Edipo y Hamlet. La crucifixión de Emanu nos conmueve en un nivel arquetípico más que individual; no lamentamos la destrucción de un gran hombre, sino el sacrificio del hombre.

El papel de Emanu aclara que *Cementerio,* a diferencia de *Arquitecto,* se ocupa principalmente de la colectividad más que del individuo. El conflicto no se enraiza en el protagonista, como sucede en la tragedia tradicional. Tampoco se genera del contacto del individuo

---

[9] *Hamlet,* I, v., edición Espasa-Calpe.

con la sociedad como en el caso de la comedia. Más bien, como en *Fuenteovejuna,* el cuerpo colectivo se convierte en la fuerza motivadora. *Cementerio* se centra en la sociedad, destacando los patrones que establece para defenderse de sí misma. La comunidad no sólo experimenta la descomposición de la máquina social, sino también el colapso del sistema de valores que la mantiene en funcionamiento. Nadie puede distinguir lo bueno de lo malo, la caridad se confunde con el asesinato: «Yo creo que lo que tendríamos que hacer para que los pobres dejen de sufrir es matarles a todos.» El sistema judicial, más que contener la violencia, proporciona un método legal de asesinato ya que tan sólo un juez «puede matar sin que le pase nada». En nombre de la justicia, y aun de la caridad, la violencia permanece como la única constante. El mundo del cementerio, como Tebas, se ahoga en «una ola mortal».

La persecución de Emanu satisface una necesidad social inmediata. La colectividad sofocada concentra sus impulsos destructivos en una víctima que absorbe «las innegables (aunque frecuentemente ocultas) hostilidades que todos los miembros de una comunidad sienten hacia el otro»[10]. La constante presión social solicita un escape constante, pero sólo la violencia apacigua la violencia[11]; así la sociedad desplaza la violencia de la criatura torturada hacia el holocausto de Emanu. El sacrificio que la canaliza es el único recurso al que se apela con tanta frecuencia —como la estructura circular de la pieza sugiere. Emanu muere, no para aplacar a Dios, sino para salvar a la humanidad de auto-destrucción —en términos estrictamente sociales allí reside su demensión redentora. Emanu es un redentor sin intervención divina, sin estatura trágica.

Cementerio presenta el ciclo trágico sin el héroe trágico. La obra sigue lo que Francis Fergusson denomina como «el ritmo trágico de la acción» en una progresión

[10] Girard, *op. cit.,* pág. 143.
[11] Girard, *op. cit.,* idea central del capítulo «Le Sacrifice».

de tres momentos claves: Propósito (Piema), Pasión (Patema) y Percepción (Matema)[12]. Mientras que en la tragedia tradicional el héroe experimenta personalmente las tres etapas, en *Cementerio* se requiere la participación del espectador en el Matema. Como el coro clásico somos testigos del sufrimiento de Emanu. Formamos parte integrante del ritmo trágico y percibimos de dónde emana la violencia y adónde conduce. Nuestra ubicación como espectadores en el centro de la escena hace que la violencia nos implique: nosotros, miembros también de una sociedad baldía, somos los protagonistas. La fragmentación del ritmo trágico refleja nuestra fragmentación, nuestra tragedia.

El espectáculo no sólo plantea un trágico *impasse* sino que nos permite resolverlo. El tema, reflejando la dimensión del sacrificio, sólo puede ser expuesto y resuelto teatralmente. Realizados en un ámbito seguro y controlado, el sacrificio, el rito y el drama tienen propiedades purgativas. En lo que un crítico llama «las dos horas y media más abrumadoras jamás pasadas en el teatro»[13], asistimos a la crucifixión de Emanu. Arrabal, al igual que Artaud, «impone en la colectividad congregada una actitud a la vez difícil y heroica»[14]. Gracias al teatro cosechamos los beneficios catárticos del sacrificio de Emanu. Tras la noche oscura del alma, agotada nuestra violencia, la campanilla de Dila nos depierta a la promesa de un día nuevo.

---

[12] Francis Ferguson, *The Idea of a Theatre*, Princeton, Princeton Univ. Press, pág. 18.

[13] Henry Hewes, *Saturday Review*, 23 de abril de 1966, vol. 49, página 43.

[14] Antonin Artaud, *Le Theatre et son double*, París, Gallimard, 1964, pág. 39.

El Arquitecto y el Emperador de Asiria

El núcleo fundamental, alrededor del cual giran todos los otros elementos de *El Arquitecto y el Emperador de Asiria* de Arrabal, no es otro que la afirmación del incesante ciclo vital. La obra traza y demuestra la rotación completa de ese movimiento circular que va desde la llegada del Emperador a la isla, pasa por su muerte, y se reinicia con su nueva llegada. Podemos decir, pues, que la acción no concluye nunca, ya que la última escena, casi idéntica a la primera, comienza de nuevo el ciclo progresivo que continúa implacablemente más allá de los límites de cualquier vida individual. Los personajes, involucrados en el ciclo, ejemplifican algo más que una experiencia realista, meramente personal. El eterno Arquitecto y el Emperador resucitado, encarnan un proceso vital que se prolonga más allá de la muerte. Ambos son personajes reales y míticos, lo cual no nos permite afrontarlos tan sólo en términos de una psicología realista. Así la obra adquiere nuevas proporciones cuando reconocemos la perpetua actividad como un proceso en que los personajes funcionan como figuras genéricas. Solos, «en esta isla que los mapas olvidaron», el Arquitecto y el Emperador reviven el drama del aislamiento humano, el Hombre en busca de Dios, en busca de sí mismo.

El Arquitecto y el Emperador de Asiria comienza en el punto cero, intersección entre el tiempo y lo atemporal, con el accidente aéreo que trae al Emperador a la isla. Éste, como miembro de la civilización moderna, encarna el tiempo histórico. La avería de la máquina que lo transporta sugiere la fragilidad, la temporalidad de su cultura. La desconocida isla en que aterriza, habitada por el eternamente joven Arquitecto, representa lo atemporal que correspondería a lo que Eliade define «como tiempo mítico y primordial, tiempo "puro", el tiempo del "instante" de la Creación»[1].

En esta isla mágica el tiempo histórico y el espacio geográfico ceden ante el caos original en el que todo es siempre posible, y del que se crea de nuevo un mundo en miniatura. El colapso del mundo tal como lo conoce el Emperador, la suspensión de la historia, no significa muerte sino más bien un renacimiento, una nueva creación. Su llegada está cargada de insinuaciones arquetípicas. Como observa Peter Podol, «la imagen inicial con los ruidos del avión, destellos y explosiones sugiere el origen violento del Hombre que es el mismo proceso de nacimiento»[2].

El Arquitecto y el Emperador, únicos habitantes «de un planeta, quiero decir de una isla solitaria», representan la humanidad desde el microcosmos hasta el macrocosmos, desde la psique individual fragmentada, «les deux aspectes d'une meme personalité»[3] hasta una metáfora de la «condición humana»[4]. El Arquitecto, nativo de la tierra primigenia, personifica la dimensión arquetípica de la humanidad. Criatura mítica, «hijo de una sirena y de un centauro», vive milenios sin adquirir un pasado personal. Si aceptamos el concepto jungiano del «Self», él corresponde a

---

[1] Mircea Eliade, *Le Mythe de L'Eternel Retour,* 3.ª ed., París, Gallimard, 1949, pág. 89.
[2] Peter L. Podol, *Fernando Arrabal,* pág. 74.
[3] Françoise Raymond-Mundshau, *Arrabal,* pág. 71
[4] Thomas John Donahue, *The Theatre of Fernando Arrabal,* página 47.

la eternidad en oposición al flujo temporal, la incorruptibilidad, lo inorgánico unido paradójicamente con lo orgánico, estructuras protectoras capaces de sacar orden del caos[5].

El Arquitecto se hace uno con el mundo de su alrededor: se baña en el manantial de la eterna juventud, conversa con los animales, esconde la cabeza en la arena, hace el día o la noche a su antojo y demuestra un amor capaz de mover montañas.

Por el contrario, el Emperador simboliza al hombre moderno, producto de un mundo mecanizado y alienante, paraíso de distracciones y valores transitorios tipificados en «la Televisión, la Coca-cola, los tanques». Atormentado por una aguda autoconciencia, se define a sí mismo por su interacción con los que le rodean. El sentido de su valía personal depende del reconocimiento de los demás. Ahíto de presunciones vanas, poses grandiosas y exclamaciones vacías, se enseñorea literalmente del Arquitecto, quien, no sin ironía, a su vez le sigue el juego. A medida que avanza la obra, el público recompone la biografía fragmentaria del Emperador que, desprovisto de sus prendas imperiales, se revela como un ser anónimo e insignificante: con una mujer adúltera, una madre dominante y un empleo tedioso. Desde una óptica psicoanalítica, podríamos decir que corresponde al centro subjetivo y mutable de la personalidad, el ego. El sufrimiento y las frustraciones de la realidad exterior traicionan su imaginación henchida y chocan despiadadamente con sus sueños de grandeza y omnipotencia. Incapaz de enfrentarse a su realidad la evade, replegándose hacia dentro, emprendiendo un viaje mítico, volando a una isla olvidada. El Emperador renuncia a su mundo insatisfactorio para recrearlo como poderoso imperio donde pueda albergar sus sueños y fantasías.

---

[5] Edward F. Edinger, *Ego and Archetype,* Baltimore, MD: Penguin Books, Inc., 1972, pág. 4.

Si nos concentramos por un momento en el Emperador como personaje ficticio y autónomo, su fuga representa un acto de locura que lo transporta al no-tiempo del subconsciente[6]. Lo que Lillian Feder escribe acerca del protagonista loco en *Madness in Literature* se aplica perfectamente al personaje de Arrabal, con su complejo edípico, extrañas asociaciones subconscientes, ilusiones infundadas, fijaciones, paranoia y megalomanía:

> la culpa patológica persiste, manifestándose en obsesiones con el pecado, al igual que las identificaciones grandiosas con Cristo y otros dioses y héroes, símbolos tradicionales adaptados en forma extraña al narcisismo y alienación actuales[7].

En términos psicológicos, se puede afirmar que el Emperador sufre de esquizofrenia, definida por R. D. Laing como «una estrategia especial que inventa una persona para vivir en una situación insoportable»[8]. La ruptura emocional que desemboca en la esquizofrenia se origina de una actitud ambivalente hacia su madre: «La odiaba a muerte. Y la quería como un ángel: Sólo vivía para ella.» El asesinato de su madre y la renuncia a la realidad constituyen intentos desesperados de escapar de su tormentuoso estado. La circularidad de la obra en este nivel refleja la tensión no resuelta entre la unidad y la separación Madre/Hijo. Podemos asumir que la acción se inicia tras el matricidio, acto que le incita a buscar refugio en la locura. Su denuncia se con-

---

[6] Tom O'Horgan, al dirigir la obra en Nueva York en 1976, sugiere que el Emperador está completamente demente: «totally insane, a homicidal maniac at times. The image that the director suggested to the actor was this: It's like walls cracking and through the cracks blood is seeping». Rob Creese, «Tom O'Horgan's *The Architect and the Emperor of Assyria*», *The drama review,* vol. 21, núm. 2, junio de 1977, págs. 66-78.

[7] Lillian Feder, *Madness in Literature,* Princeton, Princeton Univ. Press, 1980, pág. 5.

[8] R. D. Laing, *The Politics of Experience and The Bird of Paradise,* Harmondsworth, Penguin Books Ltd., 1967, pág. 95.

vierte en lo que Michel Foucault denomina «el último recurso: el principio y fin de todo... la ambigüedad del caos y del apocalipsis»[9]. La isla primitiva demuestra ser un escenario apropiado, una metáfora concreta, para el estado excéntrico del Emperador.

Por medio de una serie de reescenificaciones psicodramáticas, el Emperador intenta reestablecer contacto con su madre[10]:

ARQUITECTO.—Dijiste que tu mamá te cogía en brazos, y dijiste que te arrullaba, y dijiste que te besaba en la frente; y dijiste...

(El EMPERADOR *vive las palabras. Se acurruca en la silla como si una persona invisible le arrullara y le besara.)*

Y dijiste que, a veces, te pegaba con un látigo... y dijiste que te llevaba de la mano por la calle... y dijiste...

EMPERADOR.—¡Basta, basta!

La oscilación entre amor y odio, reflejada en el ritmo frenético de la acción que va de la unidad a la separación, se acelera para alcanzar su punto culminante en el Acto Segundo con el baile entre el Emperador/Niño y el Arquitecto/Madre. El Arquitecto, al llevar «la máscara de madre», oficia lo que los psicodramaturgos denominan «el auxiliar», es decir la persona que asume los papeles requeridos para reinterpretar el drama del protagonista[11]. La proximidad creada por el baile pro-

---

[9] Michel Foucault, *Madness and Civilization: A History of Insanaty in the Age of Reason,* trad. Richard Howard, Nueva York, Vintage Books, 1965 (reimpreso en 1973), pág. 281.

[10] Psicodramáticas ya que «the subject (patient, client, protagonist) acts out his conflicts instead of talking about them». J. L. Moreno, *Psychodrama,* Third Volume, Beacon, NY: Beacon House Inc., 1964, págs. 233-238.

[11] Parece haber una confusión acerca del rol del Arquitecto. Aunque oficia el papel de «Madre», el Emperador hace de «Esposa», «Hermano», «Sansón», «Olimpia de Kant», al contrario de lo que proponen Rosette C. Lamont en *Pack of Cards* (pág. 190) y Luis Oscar Arata en *The Festive Play of Fernando Arrabal* (pág. 43).

voca el odio del niño: «Te mataré y te daré de comer al perro.» La madre consuela a su hijo, cantándole una nana: «...*el* EMPERADOR *medio se amodorra. De pronto se levanta frenético.)* EMPERADOR.—Que me oigan todos los siglos: en efecto, yo maté a mi madre.» El juicio toca a su fin y el Emperador, condenado a muerte, tan sólo pide ser comido por el Arquitecto en «traje de mamaíta adorada». La unidad conseguida por la reincorporación con su madre no se puede mantener. Inmediatamente somos testigos de una nueva separación y el ciclo se reinicia.

De esto se infiere que la locura es una creación, un recurso tan angustioso como vano para poder sobrevivir. A diferencia del artista, capaz por su imaginación de crear nuevos mundos, el demente, «artiste manqué»[12], tan sólo produce creaciones negativas, es decir, algo que no surtirá el efecto esperado. El Emperador, en Asiria, es paradigma de la creación fallida —una máscara que no oculta en un imperio que no protege. Si el Emperador se aísla de la humanidad y odia a los demás es porque ellos, como espejos, le reflejan su verdadera imagen, la de un burócrata anodino. En su imaginación se corona Emperador de Asiria, pero en la isla, como en la sociedad, los roles magníficos no consiguen ocultar la mediocridad. El Arquitecto penetra la fachada. «¿Te atreves a reírte de mi literatura? Has de saber que fui premio... Pero ¿cómo se llamaba ese premio, hombre?» Su creación se desmorona; el Emperador tiene que separarse del Arquitecto para definir la cara desconocida tras la máscara.

El monólogo del Emperador, al final del Acto Primero, resuelve el hiato entre lo que es y lo que quiere ser —la personalidad y la persona respectivamente. En esta escena central, que opera su transformación psicodramática, su personalidad menospreciada expresa su ansia de armonía. En su búsqueda del equilibrio exteriori-

---

[12] Otto Rank, *Art and Artist,* trad. Charles Francis Atkinson, Nueva York, Agathon Press, 1968, pág. 25.

za el rol de Emperador que alberga dentro de sí en forma de un espantapájaros.

> Con sus ropas de Emperador de Asiria comienza a vestir al espantapájaros... Cuida de los detalles para que el espantapájaros reproduzca su propia silueta exactamente.

Utilizando una combinación de técnicas empleadas por los psicodramaturgos —la «silla vacía» e inversión de papeles[13]—, la personalidad insignificante rinde homenaje a la concreta imagen de la persona, el Emperador de paja, manteniendo una conversación con su propia voz que nos es casi desconocida:

> ¡Oh, no, mi vida no tiene importancia!... Bueno, al final ya tenía un buen sueldo, no se vaya a creer... De haber continuado, hubiera llegado a subir por el ascensor principal y hubiera llegado a tener la llave del retrete del director general.

Narra su historia de manera errática, casi incoherente. Comprendemos, sin embargo, que amor y odio, sexo y violencia, vida y muerte, se entremezclan para este hombre de tal manera que cesa de golpear a su mujer cuando deja de quererla, y mata a su madre por amarla demasiado.

De las ruinas de su historia personal, el Emperador crea a un individuo nuevo, más maduro. Como una madre que trae al mundo un niño, el Emperador se da a luz a sí mismo en este monólogo. Tras haber dado forma autónoma a su imperecedera megalomanía, es capaz de reconocer sus debilidades y aceptar su humanidad. Como le dice al marciano: «prefiero un millón de veces más vivir en la Tierra, con nuestras guerras y

---

[13] Para una descripción de técnicas psicodramáticas, véase J. L. Moreno, *Psychodrama,* Beacon, NY: Beacon House Inc., 1964; Adaline Starr, *Rehearsal for Living: Psychodrama,* Chicago, Nelson Hall, 1977; Lewis Yablonsky, *Psychodrama.*

nuestras cosas, antes de irme a su planeta... *(Irónico)* de ensueño». Gradualmente, se reincorpora al mundo de la experiencia que entraña sufrimiento y desengaño. Ha de hallar un nuevo rostro para adaptarse al mundo objetivo. Visualmente, la búsqueda de la forma que reemplace la creación fallida se manifiesta en el ropaje que evoluciona tan fluidamente como la personalidad cambiante. El Emperador se desnuda constantemente, viste nuevas prendas, añade otras, mejora y cambia su apariencia en un esfuerzo de enfrentarse al mundo exterior.

La transformación iniciada en el monólogo repercute en la relación entre el Emperador y el Arquitecto en el Acto Segundo. Las ilusiones de Asiria, a donde retorna periódicamente el Emperador —casi por hábito—, comienzan a resultarle embarazosas: «¡Qué resonancias! Diez mil... *(En aparte.)* ¿Diez mil? Ni que mi habitación fuera un estadium.» El reconocimiento íntimo de su insignificancia y culpa en el Acto Primero se hacen públicos en el Segundo. El Emperador va a juicio por el asesinato de su madre. Las personas del pasado, su mujer, sus «amigos» y conocidos emergen de su memoria para testificar en su contra. El drama personal del Emperador se reflecta por medio de la reescenificación. Tras la aparente incoherencia del proceso, la acción muestra un movimiento definitivo del caos a la simplificación. El juicio ofrece un desarrollo lineal hasta ahora desconocido en la obra.

En cierto modo el Emperador se defiende de la verdad amenazante escondiéndose en sus queridos juegos —«la búsqueda de Dios», seguido necesariamente por «Blasfemia», y el siempre atormentado «Madre/Hijo». No obstante, la realidad se insinúa cada vez más incluso en los juegos —las innúmeras esclavas que presencian el despertar del Emperador halla su origen en el perro lobo del Acto Segundo: «No tenía necesidad de despertador: era él que todas las mañanas venía a lamerme las manos.» El juego, «Cuernos», reitera la aceptación final del Emperador de su existencia mundana: «¿Te imaginas conmigo en otro mundo?... Más vale lo malo conocido que lo bueno por conocer.» Ahora, sin embargo, el Arquitecto y el Emperador reconocen los juegos como interrupciones que distraen de un propósito más amplio. Después de cada digresión, el Arquitecto retorna a la silla del juez. El juicio avanza implacablemente a pesar de la resistencia del Emperador quien acaba por resignarse a lo inevitable y anticipa ansiosamente la acción: «Ponte inmediatamente en tu sitio», le ordena al Arquitecto, «¿Es que no se hará jamás justicia en esta puñetera isla?». La reincorporación al mundo postedénico, contaminado por el conocimiento («has aprendido muchas cosas que no quería decirte») y muerte («morir no es un juego como los demás: es un juego irreparable») muestra que la locura no ofrece una alternativa viable. «No debía haber caído aquí», concluye el Emperador al darse cuenta que la locura no resolverá sus problemas.

Como tratamiento de la locura, *El Arquitecto y el Emperador de Asiria* es especialmente rica, ya que no se detiene en el contenido psíquico sino que también reproduce el funcionamiento de la mente humana, el mecanismo del inconsciente. Varios críticos han sugerido que el Arquitecto y el Emperador representan dos aspectos de un mismo individuo. Más aún, propongo que el movimiento de la obra entera refleja intuitivamente la interacción entre los dos centros de la personalidad.

El Arquitecto, al dominar la naturaleza y mantenerse perpetuamente joven, adquiere un aura semi-divina. Etimológicamente, en griego, la palabra «arquitecto» significa «soy el primero». Identidad original profundamente relacionada con la tierra, el Arquitecto prefigura al Emperador recién caído de los cielos. La antinomia tierra-cielos sugiere la otra inconsciente-consciente. El hecho de que el Emperador aterrice en la isla renunciando a lo consciente en favor de lo inconsciente, complica la contraposición. Tenemos en la obra dos niveles de inconsciencia —la eterna, arquetípica encarnada en el Arquitecto y el inconsciente personal, compen-

Ilustración 1

Edinger:

Ciclo del desarrollo psíquico

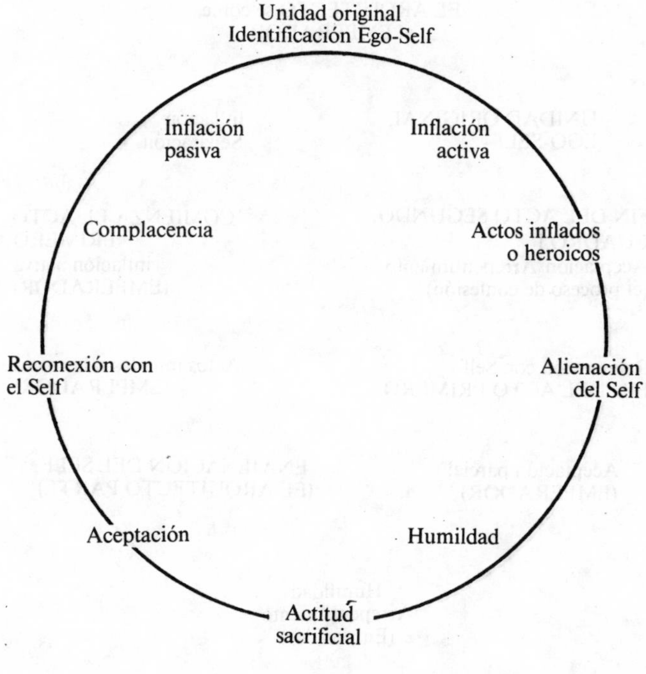

Unidad original
Identificación Ego-Self

Inflación
pasiva

Inflación
activa

Complacencia

Actos inflados
o heroicos

Reconexión con
el Self

Alienación
del Self

Aceptación

Humildad

Actitud
sacrificial

Ilustración 2

El Arquitecto y el Emperador de Asiria

EL ARQUITECTO se come
al EMPERADOR

UNIDAD ORIGINAL
EGO-SELF

Inflación
Separación

FIN DEL ACTO SEGUNDO,
CUADRO I
Aceptación/Arrepentimiento
(el proceso de confesión)

COMIENZA EL ACTO
PRIMERO
inflación activa
(EMPERADOR)

Reconexión con Self
FIN DEL ACTO PRIMERO

Actos inflados o heroicos
(EMPERADOR)

Aceptación parcial
(EMPERADOR)

ENAJENACIÓN DEL SELF
(EL ARQUITECTO PARTE)

Humildad
Arrepentimiento
(Emperador)

dio de la experiencia personal del individuo. El Emperador, a pesar de estar divorciado de su realidad cotidiana, continúa llevándola consigo internamente. El Arquitecto demuestra las características del Self: «el centro que ordena y unifica la psique total... la deidad empírica interior»[14]. El Emperador, al igual que el ego, está vinculado al tiempo cronológico, al marco histórico.

La interacción entre el Arquitecto y el Emperador es además análoga a la interacción entre el Self y el ego[15]. El Arquitecto y el Emperador no cesan de tomar parte en juegos breves articulados en torno al eje unidad/separación. El movimiento de la trama, visto en su totalidad, exhibe la alternancia: ambos se hacen uno (el Arquitecto se come al Emperador) y de nuevo se desgajan en dos personas autónomas, reiniciando así el ciclo. La otra, tomada desde esta perspectiva, comienza tras la ruptura de la unidad Self/ego. En el Acto Primero, Escena 2, se muestra una relación íntima entre el Arquitecto y el Emperador, lo que fomenta en el último una sensación de poder casi divino debido a su proximidad con la «divinidad» interna. La asociación provoca inflación, «estado en el que algo pequeño (el ego) se arroga las cualidades de algo mayor (el Self)»[16], traspasando, por tanto, los límites de su verdadera dimensión.

Una descripción de inflación positiva se aplica acertadamente al Emperador:

> Tal persona se considera un individuo sumamente prometedor. Rebosa talentos y potencialidades. Una de sus

---

[14] Edinger, *op. cit.*, pág. 3.

[15] Edinger describe el proceso en *Ego and Archetype*. El ego, originalmente uno con el Self, ansía regresar a la unidad original aunque ello imposibilitaría su desarrollo. El movimiento del ciclo refleja la posición cambiante del ego en relación con el Self. Las etapas de la progresión, de acuerdo con el diagrama de Edinger (ver ilustración 1), resultan relevantes para el estudio de la estructura de *El Arquitecto y el Emperador de Asiria.* (Ver ilustración 2.)

[16] Edinger, *op. cit.*, pág. 7.

quejas habituales es que sus capacidades e intereses son demasiado amplios[17].

El Emperador, al comienzo de la obra, se considera autoridad suprema en casi todo. Se compara con Aristóteles, Homero, o un héroe shakesperiano. Como escritor, se jacta de su singularidad: «Los mejores me copiaron. Beethoven, D'Annunzzio, James Joyce, Carlos V, el mismísimo Shakespeare y su sobrino Echegaray» (I, ii). A la vez sufre de inflación negativa, es decir, «identificación con la víctima divina, un sentimiento desatado de culpa y sufrimiento»[18]. Ansioso por expiar los pecados del mundo, se compara a Cristo.

El estado hinchado del Emperador lo incita a realizar actos desatinados amenazando al indisciplinado pájaro. Aunque el Emperador (como el ego asociado con el Self) pretende controlar, es claramente el Arquitecto (como el Self) el que domina, ya que es capaz de leer los pensamientos del Emperador. La visión poética del Arquitecto, sus descripciones surrealistas, ponen en ridículo los galimatías del Emperador. Aunque el Arquitecto le sigue el juego con el fin de mantener la armonía, las agresiones del Emperador terminan por enajenarlo. El Arquitecto sale brevemente a mitad del I, ii, y de nuevo al final de este acto. A solas, el Emperador comienza a deshincharse al igual que el ego separado del Self. Se desembaraza de su papel imperial reemplazándolo con un Emperador/Espantapájaros. Lentamente, la personalidad subjetiva aflora a medida que recuerda su trabajo, su mujer, su madre. El Acto Primero, que comenzó con la estrecha asociación entre el Emperador y el Arquitecto, aboca a un periodo de alienación y separación, cerrándose con el alejamiento de los dos centros. Por primera vez el Emperador se pregunta acerca de la identidad del Arquitecto, cosa que antes le aterrorizaba: «EMPERADOR.—*(Intrigado.)* Esas pala-

---

17 Edinger, *op. cit.*, pág. 15.
18 Edinger, *op. cit.*, pág. 15

bras... *(Recuperándose.)* ¡Pobre incivil! No has visto nada. Te he hablado de la Televisión, de la Cocacola...» Ahora, sin embargo, reconoce el poder del Arquitecto con menos temor que admiración y comienza a cuestionarse su edad, su capacidad de determinar el primer día de la primavera sin un calendario. El Arquitecto regresa y se miran fijamente, de pie, desde los extremos del escenario. El augusto Emperador ya no toca con su bastón al salvaje arrodillado. Ahora el ego despavorido se enfrenta cara a cara con su Self atemporal.

La confrontación al final del Acto Primero marca el final del movimiento de la unidad a la alienación y da pie al siguiente, de la alienación a la reconexión que constituye el Acto Segundo. Éste difiere del Acto Primero en que ahora el Arquitecto controla francamente la situación y el ritmo de la acción. Fuerza al Emperador a someterse a juicio por matricida, lo que desencadena que admita sus limitaciones, sus acciones y las consecuencias que se derivan:

> EMPERADOR.—*(Auténtico.)* Arquitecto, condéname a morir, sé que soy culpable. Sé que lo merezco. No quiero vivir ni un minuto más de esta vida de fracaso, de derrota.

Sin embargo, es importante para él saber que el Arquitecto acepta: «Dime que me quieres, Arquitecto, dime que a pesar de todo no me rechazarás esta noche.» Esta escena, concluyendo con la vinculación entre el Arquitecto y el Emperador, anticipa la tercera fase del ciclo, el anhelo de unidad. El Emperador le pide al Arquitecto que le coma. II, ii refleja el estado de unidad original. El Arquitecto devora al Emperador, el Ego retornó a morir al Self. Aunque la megalomanía del Emperador eclipsa al Arquitecto, esta escena no muestra la muerte del Self, incluyendo su pérdida de poder, sino el nacimiento del nuevo ego, inflado por la proximidad con el Self y reclamando poderes que nunca poseyó.

Las similitudes entra la acción de la obra y el patrón psíquico estudiado por Edinger sugieren que una creación artística puede reflejar su origen inconsciente. Jung, Campbell, Neumann, por citar tan sólo algunos de los muchos autores que se han ocupado del tema, proponen que los mitos, las leyendas, y el arte en sus diversas formas, funcionan como metáforas de un proceso psíquico. Más que enclaustrarnos en una teoría reductora, el reconocimiento de la fuente inagotable descubre un abanico de implicaciones. Por otra parte, reconcilia interpretaciones en apariencia contradictorias. La obra nos habla con diferentes lenguajes: el de los sueños, los mitos, los juegos —del psicoanálisis—, expresiones distintas todas de un único proceso —el esfuerzo de la personalidad individual por establecer vínculos perdurables con el flujo continuo de la vida. Mientras que el sueño expresa patrones psíquicos individuales, el mito tiende a expresar modelos colectivos o arquetípicos. El estado original de totalidad, representado en la obra por el Arquitecto autosuficiente que habita en una isla solitaria, halla su expresión bíblica en la íntima asociación de Dios con el ser humano antes de la caída. El Arquitecto, como representación literaria del Self, posee una dimensión divina: «es idéntico al *imago Dei*»[19]. Hallamos la asociación Arquitecto/divinidad a lo largo de la obra, más obviamente en los poderes sobrenaturales Arquitecto. Como nos dice Eliade en *Myths, Dreams and Mysteries:*

> comunicarse con los animales, hablar su lenguaje y hacerse su amigo y señor equivale a apropiarse de una vida espiritual mucho más rica que la mera vida humana de los ordinarios mortales[20].

El uso del manantial de la juventud por el Arquitecto simboliza su asociación con lo que este crítico denomina «el centro..., la zona de lo sagrado, la zona de la rea-

---

[19] Edinger, *op. cit.*, pág. 3.

[20] Eliade, *Myths, Dreams and Mysteries,* trad. Philip Mairet, Nueva York, Harper Torchbooks, 1957, pág. 63.

lidad absoluta»[21]. El Emperador/Adán le da el nombre de Arquitecto, más tarde refiriéndose a Dios como «arquitecto supremo» (I, ii). En el mismo monólogo alude al Arquitecto como el «Arquitecto supremo de Asiria». En II, i, el Emperador le declara «Arquitecto supremo, el gran organizador, un dios de bolsillo...».

Si aceptamos la lectura del Arquitecto como Self, la matriz del ego, y lo relacionamos con la imagen de Dios en el relato bíblico de la ruptura de la unidad original, la acción de la obra revela nuevos significados. El rompimiento entre Self y ego resulta del sentimiento hinchado que el ego tiene de sí mismo. La pérdida del Edén resulta de las aspiraciones excesivas de Adán y Eva. Comen el fruto del árbol de la sabiduría porque la serpiente les asegura que «Vuestros ojos se abrirán y seréis como dioses»[22]. La «caída» literal del Emperador evoca la caída original de la humanidad; sus arrebatos blasfemos al Lucifer ultrajado tras su expulsión de los cielos.

La isla, antes de la caída del Emperador, se asemeja al Edén con su fuente de la eterna juventud y en perfecta armonía. La presencia del Emperador transforma el espacio primigenio en un mundo post-paradisiaco, un mundo en que la discordia, la guerra y la muerte se convierten en realidades persistentes. La isla adquiere las deficiencias de nuestra cultura consumista, compuesta de los desperdicios de nuestra civilización. Como *El cementerio de automóviles,* la obra refleja lo que Renée Geen llama «un montón de basura cultural»[23]. Pero a diferencia de la obra anterior, ésta consiste exclusivamente en palabras. El paisaje que el Emperador se ha creado, salpicado de alusiones literarias, revela la nostalgia por una edad dorada en la que el lengua-

---

[21] Eliade, *Le Mythe de L'Eternel Retour,* 3.ª ed., París, Gallimard, 1949, pág. 38.

[22] Génesis, 3, 5.

[23] Renée Geen, «Arrabal's *The Architect and the Emperor of Assyria», Romamce notes,* vol. XIX, núm. 2, invierno de 1978, pág. 143.

je glorioso expresaba una concepción augusta de la humanidad.

La circularidad de la estructura, en este nivel mítico, corresponde a la búsqueda eterna del «Paraíso Recobrado». El Emperador emprende la interminable búsqueda de Dios. Con prismáticos, inspecciona las entrañas de la tierra, donde lo imagina «tranquilamente en el centro rodeado por todas partes por la tierra, como un gusano, completamente loco y tomándose por un transistor». Se juega la existencia de Dios en la máquina tragaperras. Intenta alcanzar a Dios haciéndose el ángel en la iglesia. El Emperador/Sansón describe cómo

> se desnudaba y se pegaba con cola diez o doce plumas en la espalda. Luego se ataba con una serie de cuerdas y se lanzaba al vacío. Se balanceaba unas cuantas veces haciendo el ángel o el arcángel... Siempre perdía la mitad de las plumas.

Pero Dios se niega a revelar su presencia. La humanidad ha repudiado a Dios clavando «aún más las espinas de Cristo en su frente divina con ese pingajo humano». La humanidad se muestra indigna de la intervención divina.

> ¡Qué humanidad ésta! Cristo tenía que haber sido un perro, le hubieran crucificado sobre una farola y toda la humanidad perrificada vendría a mear sobre el poste.

El Emperador busca ser aceptado y redimido por medio del rezo y la abnegación como monja carmelita y anacoreta penitente. La negativa de Dios a manifestarse provoca desesperación y rabia en el Emperador, quien reta a Dios a que lo castigue por blasfemo. «*(Se pone en posición de cantante de ópera.)* Me cago en Dios y en su divina imagen y en su omnipotencia.»

El Emperador parece ansioso por experimentar lo que Eliade llama «la metamorfosis de una figura histórica a un héroe mítico»[24]. Harto de vaivenes, de la vida

---

[24] Eliade, *Le Mythe de L'Eternel Retour,* 3.ª ed., París, Gallimard, 1949, pág. 71.

con sus cambios incesantes, anhela una máscara, un papel, una cara que le ofrezca la seguridad de «ser» en vez de estar sujeto a un eterno «devenir». El último deseo, o más bien orden del Emperador, resalta su necesidad de totalidad: «Quiero que seas tú y yo a la vez.» El ser devorado manifiesta más que un deseo de huir, su vida de fracaso. Implica más que una procupación persistente por dirigir los acontecimientos de su vida; pone en relieve la importancia del «eterno retorno». El Arquitecto, vestido de madre, se come al Emperador, quien regresa a morir en la Madre/Tierra completando así el ciclo que va «del polvo al polvo». La unidad momentánea entre el Emperador y el Arquitecto marca la intersección entre el tiempo y lo atemporal, la integración de lo moderno y lo arcaico, y el carácter del Self como comienzo y fin del ego. La muerte del Emperador crea un instante de perfecta armonía y unidad. Pero ésta, antitética al principio del proceso continuo, no puede ser mantenida. Como el Ave Fénix, la obra renace de sus propias cenizas, invertida como un espejo. El Emperador se transforma en el Arquitecto, y el Arquitecto aterriza en la isla del Emperador, «único superviviente del accidente» (II, iii).

El proceso psíquico descrito en términos jungianos como la evolución entre ego y Self, análoga al sendero religioso que va del «paraíso perdido» al «paraíso recobrado», halla otra forma de expresión en lo que Joseph Campbell denomina «monomito». Campbell toma prestado el término del *Finnegan's Wake* de James Joyce para describir «el curso típico de la aventura mitológica...» por medio de «la fórmula representada en el rito del paso: separación-iniciación-retorno»[25]. La lucha del Emperador para lograr su propia aceptación por medio del juicio, la muerte y el renacimiento reflejan irónicamente la búsqueda universal del héroe.

[25] Joseph Campbell, *The Hero with a Thousand Faces,* Bollingen Series XVII, Princeton, Princeton Univ. Press, 1949 (reimpreso en 1973), pág. 30. (Ed. esp., *El héroe de las mil caras,* México, F.C.E).

Como explica Leeming en *Mythology: The Voyage of the Hero:*

> el héroe enfrenta la muerte y muere por nosotros; por su sacrificio nos extiende una promesa de vida nueva. En tal forma también nos instruye acerca de la naturaleza positiva de la muerte como catalizadora de un renacimiento por el espíritu. Como siempre, el héroe es el símbolo del Hombre en búsqueda de sí mismo[26].

Los diferentes estadios que sufre el Emperador en la búsqueda de sí mismo encuentran su contrapartida mítica. Su vuelo, el acto original de henchimiento, se corresponde con la representación mítica de la misma aspiración prohibida. La leyenda de Ícaro ejemplifica perfectamente el peligro de traspasar las limitaciones humanas. Los recurrentes sueños de vuelo del Emperador («¡qué sueños tenía! Una vez que tuve una novia me puse a volar... Y sabía que un día sería Emperador, como usted. Emperador de Asiria...») y su accidente aéreo ponen de manifiesto, como la leyenda de Ícaro, el júbilo y el peligro de aspirar a ser como Dios.

No deberíamos perder de vista el hecho de que en una lectura mítica de la obra, la «búsqueda» nunca culmina con la realización de la tarea. Es cierto, la muerte del Emperador demuestra el patrón del rencimiento, pero la muerte del héroe ejemplifica una transformación diferente a la que describe Campbell. Para él «el héroe ha muerto como hombre moderno; pero como hombre eterno —completo, no especificado, universal— ha vuelto a nacer»[27]. Por el contrario, el renacimiento del Emperador muestra el renacimiento del hombre moderno constreñido por el corsé de la personalidad social, el hombre en relación con los que lo circundan: «¡Viva yo!... ¡y mierda para los demás!» Al contrario del héroe, el Emperador no retorna de la

---

[26] David Adams Leeming, *Mythology: The Voyage of the Hero,* Nueva York, Harper and Row, 1981, pág. 233.
[27] Campbell, cit. pág. 20.

muerte «con el poder de otorgar mercedes a sus semejantes»[28]. De este modo se filtra el rasgo irónico de la búsqueda, ya que el Emperador, personificación del hombre moderno, no puede alcanzar lo arquetípico, o lo arcaico (o como queramos llamarlo) aunque se entrega a la muerte. El Ego no puede mantenerse asociado al Self; el paraíso no puede ser recobrado. El hombre moderno permanece aislado, aferrado al mezquino poder que le promete la sociedad, divorciado de lo real, la fuente eterna de poder que da sentido a la vida. Como Adán, el Emperador, expulsado del paraíso, continúa en el exilio.

Si consideramos la acción en *El Arquitecto y el Emperador de Asiria* como la búsqueda de la integración original (ya sea psicológica, religiosa, mítica, sociológica), vemos que los múltiples juegos son medios para adelantar este proceso rítmico. Aunque los juegos son parte integrante de la obra temática, estructural y rítmicamente, nos limitaría la perspectiva considerarla, como algunos críticos, un largo juego[29]. Los juegos psicodramáticos proveen un espacio libre de exigencias mundanas en que el Emperador pone en escena su «ensayo para la vida»[30]. Como observa Winnicott, los juegos marcan «la intersección del mundo exterior con el mundo interior, en esa *no man's land* en que confluyen las preocupaciones subjetivas y la vida común»[31]. Mientras juega, el Emperador examina su mundo per-

---

[28] Campbell, cit. pág. 30.

[29] David Mendelson, «Arrabal y el juego dramático de ajedrez», interpreta la obra como un juego de ajedrez, basándose en el deseo del Emperador de ser enterrado como «Bishop of Chess». Aunque la versión original española publicada en *Estreno,* tiene al Emperador disfrazado de «polo de chocolate» y no «Bishop of Chess» de la versión francesa, la posición cambiante entre el Arquitecto y el Emperador apoya su teoría lúdica.

[30] Este término lo utiliza Adaline Starr en *Rehearsal for Living, Psychodrama, op. cit.*

[31] En *Le jeu du jeu,* París, Éditions Ballard, 1980, de Jean Duvignaud, pág. 47.

sonal que progresivamente se constriñe de ciudad a isla y finalmente a una superficie de doce metros cuadrados: «Mi universo, una circunferencia cuyo radio tiene la longitud de la cadena.»

Así pues, la naturaleza de los juegos se corresponde con la naturaleza de los sueños, del psicodrama, del mismo teatro. Todos tienen lugar en el espacio y el tiempo que existen en la periferia de la Realidad. Lo que escribe Freud a proposito del juego en «Creative Writers and Day-Dreaming» se aplica a los otros: «Lo opuesto del juego no es lo serio, sino lo real»[32]. La naturaleza liberadora de los juegos, los sueños, el teatro, el psicodrama, reside en su común denominador —no son «reales», pero funcionan como si lo fueran. La interacción entre el Arquitecto y el Emperador es eco del movimiento circular de la obra. Solos en la isla, tienen que re-crear la civilización, tienen que volver a empezar. Generan una serie de juegos arquetípicos que reflejan el ciclo vital, «la parturienta» y «la novia»; «guerra» y «explosión atómica»; «la crucifixión de Cristo» y «la muerte». En «explosión atómica» el Arquitecto y el Emperador «mueren» pidiendo renovación a gritos: «Mi reino por un Ave Fénix.» Reaparecen como simios enamorados, embarcados de nuevo en un proceso evolutivo. Morir, dentro del contexto ritualista del juego «la muerte», se vuelve un acto de sumisión espontánea en aras del renacer: «luego me despierto en un ataúd ¿y quién me saca de allí?».

Para el Arquitecto y el Emperador los juegos se convierten en una forma de conocerse a sí mismos y de experimentar el mundo que los circunda más allá de la lógica. Los juegos espasmódicos reemplazan la casualidad y sirven para probar misterios físicos y metafísicos. Lúdicamente alcanzan el amor de forma momentánea por medio del contacto físico o emocinal. Juntos viven intensamente. Juntos llegarán a Babilonia. Así como la

---

[32] Sigmund Freud, «Creative Writers and Day-Dreaming», *20th Century Literary Criticism,* ed. David Lodge, pág. 36.

identidad de uno depende del papel del otro, los juegos requieren la participación de ambos. La novia precisa de un novio, lo mismo que la madre de un niño y el jinete de un caballo.

El monólogo al final del Acto Primero resulta especialmente interesante, no sólo porque somos testigos de la transformación personal del Emperador, sino porque corrobora también el proceso lúcido sin la participación de una segunda persona. Al mismo tiempo destaca la dependencia del Emperador de juegos y papeles para su identificación personal, al margen de su interacción con el Arquitecto. Este último, molesto por la negativa del Emperador a jugar, aparenta marcharse de la isla. Solo, el Emperador se siente alternativamente aliviado y rechazado en su nueva soledad. El Emperador, como sugiere su altisonante título, es dramático y teatral casi por definición[33]. Se expresa actuando y prácticamente carece de identidad más allá de los papeles que elige o le imponen. La autodefinición del Emperador requiere de constante acción, reacción e interacción, lo cual lo liga al Arquitecto. El pánico del Emperador al creerse solo, resalta la trascendencia de los juegos. En términos de Laing: «Una persona se desespera más ante la privación del juego que ante la pérdida de su compañero o compañeros como personas reales. Lo importante es el mantenimiento del juego, no la identidad de los

---

[33] Como señala Sabine MacCormack en *Art and Ceremony in Late Antiquity,* (Berkeley, Los Ángeles, y Londres, Univ. of California Press, 1981), el Emperador asumía una postura iconográfica en público. Recordemos la entrada triunfante en Roma de Constantinus Augustus en 375, era cristiana: «et velut collo munito, rectam aciem luminum tendens, nec dextra vultum nec laeva flectebat et (tamquam figmentum hominis) nec cum rota concuteret nutans, nec spuens, aut os aut nasum tergens vel fricans, manumue agitans, visus est umquam. Ammianus Marcellinus, XVI, 10, 10». El Emperador parodia la entrada triunfante en I, ii. «¡Emocionante mi llegada a Atenas! ¿Pero era Atenas? Con tacón alto y liguero... "Atenienses, hemos obtenido la mayor victoria de los siglos modernos".»

jugadores»[34]. Perdido su compañero, el Emperador ha de crear otro, el Emperador/Espantapájaros.

Lo lúdico, además, permite a los personajes cuestionarse los problemas mayores y reducir los misterios eternos a un envite. El Emperador determina probar la existencia de Dios, de una vez por todas, en una máquina tragaperras. El dudoso resultado de la apuesta, el fracaso del juego, le produce tal cólera y desesperación que produce otro —el blasfemo. Retirado a un escenario onírico, una isla mítica, las leyes de la lógica ceden ante la fuerza abrumadora de la asociación libre.

Los juegos, tal y como dejan claro el Arquitecto y el Emperador, tienen sus reglas. Johan Huizinga observa en *Homo ludens*[35]: «Cada juego tiene sus reglas propias... El jugador que infringe las reglas de juego o se sustrae a ellas es un "aguafiesta"»[36]. Cualquiera de ellos puede iniciar o concluir la acción, asignándose papeles, intercambiándolos y disputándoselos. Jugar simultáneamente dos juegos diferentes constituye, de por sí, su variación favorita:

ARQUITECTO.—Bueno, hago de novia.

EMPERADOR.—Pero ¿no querías que te enseñara arquitectura? ¡Ah, la arquitectura!

ARQUITECTO.—Estábamos en lo de hacer de novia.

EMPERADOR.—Estábamos en que te voy a enseñar arquitectura... Las bases de la arquitectura son... Bueno, haré de novia, si insistes.

ARQUITECTO.—¿Cuáles son las bases de la arquitectura, entonces?

EMPERADOR.—*(Furioso.)* He dicho que hoy haré de novia, si tanto insistes.

Los juegos, diseñados para establecer contacto entre los dos, acarrean, sin embargo, su distanciamiento. Uno

[34] R. D. Laing, *The Politics of Experience and The Bird of Paradise, op. cit.*, pág. 43.

[35] Johan Huizinga, *Homo ludens,* trad. Eugenio Imaz, Madrid, Alianza Editorial, 1968, pág. 24.

[36] F. Raymond-Mundschau, *Arrabal,* pág. 61.

de los jugadores echa por tierra la unidad al quebrantar las reglas. Los juegos cesan tan bruscamente como empezaron, y del silencio residual brota un nuevo juego.

Los juegos, representaciones microscópicas de temas y patrones más abarcadores, reflejan metafóricamente la naturaleza del mismo teatro. Éste funciona como un juego que permite la confrontación controlada y segura de lo objetivo y lo subjetivo, la coexistencia de la realidad empírica y la fantasía. Los juegos le proporcionan al dramaturgo un marco extraordinariamente flexible que le ofrecen, como reconoce Raymond-Mundshau, «une façon brillante de matérialiser sur le mode comique cette fois les griefs contre la société, l'éducation, la religión, la guerre, la politique, le monde des adultes...»[37]. Los juegos y los papeles realzan la teatralidad de la obra al crear un estado de transformación fluida que evoca el ciclo vital. En éste, los jugadores se suceden, pero los patrones continúan prácticamente inmutados. Un sombrero, un bolso o una liga bastan a distinguir un papel de otro en una mascarada eterna que recuerda el teatro del mundo. Al mismo tiempo, las discrepancias y locuras proporcionan la fuente inagotable del humor negro de la obra que nos divierte y sobresalta continuamente, nos pilla desprevenidos, y nos bombardea con comedia casi desesperante, parte todo ello de una experiencia teatral electrificante.

La naturaleza esporádica de los juegos que se concatenan con cierta holgura, confiere a la obra su estructura episódica. Ésta, señala Arata en su sugerente estudio *The Festive Play of Fernando Arrabal,*

> es una estructura de composición que permite una sobreabundancia de materiales dramáticos. No observando las restricciones que se imponen las obras orientadas hacia la trama, permite al dramaturgo entregarse a yuxtaposiciones expansivas de estos materiales. Esta forma no es un medio para alcanzar un fin; la forma episódica

[37] Luis Óscar Arata, *The Festive Play of Fernando Arrabal,* pág. 3.

> es más bien la forma natural de las obras que tienden a abarcar al máximo los mundos internos y externos del dramaturgo[38].

La estructura episódica no sólo incluye la mayor cantidad posible de material, incrementa también la tensión creada por una trama progresiva sin cohesión aparente. Los juegos espasmódicos transmiten una sensación de contrariedad, incluso de peligro, a lo largo de su inexorabilidad. Los personajes, atrapados en el ritmo convulsivo de la trama, se extenúan al realizar los innumerables actos que la vida les exige. No tenemos la sensación, como en la tragedia aristotélica, de una línea argumental en constante evolución acto tras acto, con un nudo y un desenlace. La estructura de la tragedia, escrupulosamente controlada y dirigida, provee el contrapeso al terror suscitado por la implacable linealidad del destino. Aunque los efectos de la tragedia convencional devastan al protagonista, la estructura nos asegura que el estrago será contenido. En *El Arquitecto y el Emperador de Asiria* la estructura no ofrece tal alivio. El espectador, como el protagonista, teme que el final de los juegos represente otro final —la muerte. Pero la naturaleza continua de la acción refleja el interminable ciclo vital. Ambos alcanzan la muerte y la rebasan. La estructura circular de la obra demuestra que, para Arrabal, la muerte promete regeneración.

La obra reafirma la esperanza implícita en el proceso creativo de su estructura circular —a la muerte sigue un renacimiento. El empleo de la circularidad distingue a Arrabal de los dramaturgos del absurdo, como Ionesco y Beckett. Los primeros críticos de Arrabal siguieron la pista falsa de Esslin en *El Teatro del Absurdo* y lo to-

---

[38] María Morales González, «Fernando Arrabal y su teatro del absurdo», *Horizontes,* vol. 27, 1970, págs. 5-49. Janet Winecoff Díaz, «Theatre and Theories of Fernando Arrabal», *Kentucky Romance Quarterly,* vol. XVI, núm. 2, 1969.

maron por escritor del absurdo[39]. En *La cantante calva* y *Esperando a Godot* la circularidad sugiere desesperación y anquilosamiento al funcionar como metáfora de una situación involutiva. Pero es la esperanza, no la desesperación, lo que distingue la obra de Arrabal quien dota a sus personajes del atributo que él ansía, la inmortalidad. Como reveló en una entrevista:

> Drácula es mi héroe, el hombre que nunca muere, duerme durante el día y vive por la noche. Él obtiene la vida eterna. Si Drácula existiera me gustaría que me mordiese ahora mismo[39].

La monotonía de la existencia caracteriza menos la obra de Arrabal que su exuberancia por la vida. El hombre moderno, plagado de imperfecciones y desterrado del Edén, todavía sueña con robar la fruta prohibida de la vida eterna.

Prestemos atención a cualquiera de los lenguajes —el onírico, psicodramático, lúdico, bíblico—, la historia es siempre la misma. *El Arquitecto y el Emperador de Asiria* de Arrabal reafirma el proceso incesante de la vida, mágica y esperanzada, en un nivel transpersonal, poniendo de relieve, sin embargo, la incapacidad del hombre moderno de asociarse con lo sagrado, lo eterno, de bañarse en la fuente de la juventud. El Emperador presiente que en la vida hay algo más que lo que ve en la televisión, pero no le es dado hallar el auténtico generador divino, el Dios «transistor». El hombre moderno, en su búsqueda de Dios y en su intento de aceptarse, tropieza con frustración y sufrimiento, y se pierde en el exilio, alienado de sí y de su mundo. Podemos interpretar el exilio biográficamente (Arrabal extrañado de la España franquista) o sociológicamente (Berenguer) argumentando que el destierro es el resultado de una sociedad enajenante. Podemos hablar de un alejamien-

---

[39] Arata cita esta entrevista con Schifres de *Entretiens* en *The Festive Play of Fernando Arrabal*, pág. 53.

to histórico, de la dislocación del siglo XX ante un pasado percibido, no sólo como glorioso e irrecuperable, sino como terriblemente ajeno. O quizá sea más sugerente considerar el exilio como el síndrome de una ruptura más profunda cuyos orígenes nos remonta a los albores de la consciencia humana. Solos, en un mundo olvidado por los mapas, el Arquitecto y el Emperador juegan, sueñan y escenifican el drama de nuestra existencia.

Nuestra edición

El cementerio de Automóviles se publicó por primera vez en francés en 1958 (edición René Julliard), escrita por Arrabal en 1957. David Whitton encontró una versión muy alejada de la obra que data de 1950, de la cual Arrabal conservó solamente el decorado y el tema. Ángel Berenguer señala en *L'exil et la cérémonie* que, en 1955-56, la obra ya existía como *projet avancé* (página 264). Hay algunos cambios entre la primera edición francesa y las dos siguientes ediciones, Christian Bourgois, 1968 y 10/18, 1975. (No hay cambios entre estas dos ediciones.)

Cementerio se publicó por primera vez en español en 1965 (edición *Primer Acto*). Esta edición, abreviada y alterada, es menos poética y menos explícita que las siguientes ediciones, eliminando frases enteras, y palabras «indecorosas» como «puta», «orinal», etc. La segunda edición española se publicó por Christian Bourgois en 1971 y corresponde aproximadamente a la segunda edición francesa (de la misma editorial, 1968). La tercera versión española, editada por Ángel Berenguer (Planeta), aparece en Colección Goliárdica en 1979. Nuestra edición sigue a esta última edición, con ciertas variaciones autorizadas por el autor. Las notas apuntan todas las variaciones entre nuestra edición y las tres ediciones españolas anteriores, P. A. (Primer Acto), C. B. (Christian Bourgois) y C. G. (Colección Goliárdica). No se indican ciertas variaciones de imprenta (i. e. P. A., «Pero ¿...» en vez de «¿Pero...»; «coche 1» en vez de "coche 1", etc.).

El Arquitecto y el Emperador de Asiria se publicó por primera vez en francés en 1967 por Christian Bourgois, y una siguiente edición, idéntica a la primera, salió en 10/18, 1974. Existe una sola versión española anterior a la nuestra, que se publicó en *Estreno* 2, 1, 1975 T1-T28, plagada de errores, por los cuales los editores se disculparon en otro número de *Estreno.* Nuestra edición, que Fernando Arrabal da como definitiva, corresponde a la versión original española publicada en *Estreno,* con una excepción importante —en el Primer Acto seguimos (con la autorización de Arrabal) la versión francesa (1967) cuando el Emperador pide ser enterrado como «Bishop of Chess» en lugar del «polo de chocolate» del original. Las numerosísimas erratas de la versión de *Estreno* están corregidas, sin otra indicación.

Bibliografía

I. OBRA DE ARRABAL

A) TEATRO

En español

El cementerio de automóviles, Ciugrena, Los dos verdugos, Madrid, Taurus, Col. Primer Acto, 1965.
El triciclo, Madrid, Escelicer, 1965; *Yorick,* núm. 8, Barcelona, 1965.
Fando y Lis, en *Yorick,* núm. 15, Barcelona, 1966; Madrid, Escelicer, 1967.
Oración, en *Primer Acto,* núm. 39, enero de 1963, páginas 46-48.
Ceremonia para un negro asesinado, en *Primer Acto,* número 74, abril de 1966, págs. 33-48.
El laberinto, en *Revista Mundo Nuevo,* núm. 15, septiembre de 1967.
La primera comunión, en *Revista los Esteros,* 1967.
Oración, Los dos verdugos, El cementerio de automóviles, en *Teatro I,* París, Christian Bourgois, 1971.
Ceremonia para una cabra sobre una nube, Málaga, Curso Superior de Filología de Málaga, 1974.
En la cuerda o La balada del tren fantasma, París, Christian Bourgois, 1974.
La marcha real, en *Literatura española del último exilio,* Antonio Ferrea y Luis Ortega, eds., Nueva York, Gordian Press, 1975, págs. 16-24.
El Arquitecto y el Emperador de Asiria, en *Estreno,* 2, 1, 1975, T1-T28.

Pic-Nic, El triciclo, El laberinto, edición de Ángel Berenguer, Madrid, Ediciones Cátedra, 1977.
La balada del tren fantasma, en *Pipirijaina,* núm. 4.

En francés

1. Editions Julliard:

Théâtre I (Oraison, Les Deux Bourreaux, Fando et Lis, Le Cimetière des Voitures), 1958.
Théâtre II (Guernica, Le Labyrinthe, Le Tricycle, Pique-nique en Campagne, La Bicyclette du condamné), 1961.
Théâtre III (Le Couronnement, Le Grand Cérémonial, Cérémonie pour un Noir Assassiné), 1965.

2. Christian Bourgois:

Théâtre I (Reédition de Julliard), 1968.
Théâtre II (Reédition de Julliard), 1968.
Théâtre III (Le Grand cérémonial, Cérémonie pour un Noir assassiné), 1969.
Théâtre IV (Le Couronnement, Concert dans un oeuf), 1969.
Théâtre V (Téâtre panique: La communion solemnelle, Les amours impossibles, Une chèvre sur un nuage, La jeunesse illustrée, Strip-tease de la jalousie, Les quatres cubes, L'Architecte et l'Empereur d'Assyrie), 1967.
Théâtre VI (Le Jardin des délices, Bestialité érotique, Une tortue nommée Dostoievski), 1969.
Théâtre VII (Théâtre de Guérilla: Et ils passèrent des menottes aux fleurs, L'aurore rouge et noire), 1969.
Théâtre VIII (Deux opéras paniques, *Ars Amandi, Dieu tenté par les mathématiques),* 1970.
Théâtre IX (Le Ciel et la Merde, La grande revue du XXe siècle), 1972.
Théâtre X (Bella Ciao, La guerre de mille ans), 1972; *(Sur le Fil ou Ballade du train fantôme),* 1974; *(Jeunes barbares d'aujourd'hui),* 1975.
Théâtre XI (La Tour de Babel, La Marche Royale, Une Orange sur le Mont de Vénus, La Gloire en Images), 1976.
Théâtre XII (Théâtre Bouffe, *Vole-moi un petit millard, Ouverture orang-outan, Punkel Punk et Colegram).*

Théâtre XIII (Mon doux royaume saccagé, Le roi de Sodome, Le Ciel et la Merde II; L'Enterrement de la sardine), 1970.
Théâtre XIV (L'Extravagante réussite de Jésus-Christ, Karl Marx et William Shakespeare, Lève-toi et rêve), 1982.

B) NOVELA

En español

Arrabal celebrando la ceremonia de la confusión, Madrid, Alfaguara, 1966.
Arrabal celebrando la ceremonia de la confusión, Barcelona, Ediciones Destino, Col. Áncora y Delfín, vol. 573, 1983.
Baal Babylonia, Madrid, Cupsa Editorial, 1977.
La torre por el rayo, Barcelona, Ediciones Destino, Col. Áncora y Delfín, vol. 570, 1983.

En francés

Baal Babylone, París, Éditions Julliard, 1959.
L'Enterrement de la sardine, París, Éditions Julliard, 1961.
Fêtes et Rites de la Confusion, París, Eric Losfeld, 1967.

B) POESÍA

La Pierre de la Folie, París, Éditions Julliard, 1963.
La Pierre de la Folie, París, Christian Bourgois, 1970.
La Pierre de la Folie et *Cent Sonnets* (Melzer Verlag).

D) ENSAYOS / DOCUMENTOS

En español

«Antecrítica a *Cementerio de automóviles», El País,* Madrid, 15 de abril de 1977.
«Arrabal escribe al Rey», *El País Semanal,* Madrid, 28 de noviembre de 1976.
«Biografía de Andre Breton, Poeta», *La Revolución Surrealista,* Caracas, Monte Ávila Editores C. A., 1970.

Carta al general Franco, París, Union Générale d'Éditions, 1972.
«Carta de Arrabal», *Triunfo,* Madrid, 6 de febrero de 1975.
«Carta de F. Arrabal», *Primer Acto,* núm. 153, febrero de 1973.
«Cinco relatos en contrapunto a la obra pictórica de Gironella», *Índice,* núm. 159, Madrid, abril de 1962.
«Con perdón», *Cambio 16,* Madrid, 4 de octubre de 1976.
«Cuando seas huevo, comerás padres», *Cambio 16,* Madrid, 24 de noviembre de 1976.
«Cuentos en contrapunto a la obra pictórica de Gironella», *Snob,* núm. 2, México, 27 de junio de 1962.
«Declaración de F. Arrabal en... el Aeropuerto de Barajas...», *Arrabal en el banquillo,* París, Cuadernos del Frente Libertario, julio de 1977.
«Dos cartas y una aclaración de F. Arrabal», *ABC,* Madrid, 16 de enero de 1968.
«El hombre pánico (teoría y práctica)», *Índice,* núm. 205, Madrid, 1966.
«El hombre pánico», *Papeles de Son Armadans,* núm. CXIII, Palma de Mallorca, agosto de 1965.
«El hombre pánico» con las obras *El cementerio de automóviles, Cigurena, Los dos verdugos,* Madrid, Taurus, 1965, págs. 31-44.
«El martirio de la alfombra», *El País Semanal,* Madrid, 9 de enero de 1977.
«En particular Buero Vallejo», *Agora,* nums. 79-82, mayo-agosto de 1963.
«Estoy amargado», *Diario 16,* Madrid, 26 de abril de 1977.
«Gironella», *Papeles de Son Armadans,* núm. LXXII, Palma de Mallorca.
«Imágenes de la confusión (anti-aforismos)», Notas sobre un teatro pánico y no, *Los Esteros,* Madrid, 1967.
«Justificación del derecho de pernada», *La hoja del Lunes,* Madrid, 23 de mayo de 1977.
«La alienación franquista», *Estreno,* 2, num. 1, 1975, páginas 9-10.
«La palabra vuelve al teatro», *Triunfo,* Madrid, enero de 1977.
«La piedra de la locura», *Índice,* núm. 205, Madrid, 1966.
«Los ceniceros esquizofrénicos», *La hoja del Lunes,* Madrid, 30 de mayo de 1977.
«¿Murió el Quijote vendiendo churros y cantando la parra-

la?», *Reporter,* núm. 1, Barcelona, 24-30 de mayo de 1977.
«1984», Carta a Fidel Castro, Madrid, Editorial Playor, 1983.
«Ni vencerán ni convencerán», *Diario 16,* 25 de mayo de 1977.
«Notas sobre un teatro pánico y no», *Primer Acto,* núm. 139, Madrid, diciembre de 1971.
«Prosas», *El Rehilete,* febrero de 1964.
«Queridos Marsillac y Prada», *Opinión,* Madrid, 23 y 29 de abril de 1977; reproducido en *Arrabal en el banquillo,* Cuadernos del Frente Libertario, París, julio de 1977.
«Relatos pánicos (teoría y práctica)», *Índice,* num. 170, Madrid, marzo de 1963.
«¿Se preocupa Ud. por los escritores?», *Estafeta Literaria,* Madrid, 17 de diciembre de 1960.
«Siete relatos pánicos de F. Arrabal», *Ínsula,* num. 232, Madrid, marzo de 1966.
«Si usted quiere destruir a un hombre, enséñele ajedrez», *Lecturas Dominicales,* Madrid, 21 de septiembre de 1972.
«Taquilleros de todos los países, uníos», *Cambio 16,* Madrid, 12 de junio de 1977.
«Teatro pánico», *Última Hora,* 18 de noviembre de 1965.
«Textos pánicos», *Índice,* Madrid, febrero de 1963.
Viva la muerte, Buenos Aires, Ediciones de la Flor, 1973.

En francés

«Fernando Arrabal Ruiz, mon père», *Les Lettres Nouvelles,* octubre-noviembre de 1967, y *Viva la Muerte,* Col. 10-18, núm. 439, París, Christian Bourgois.
«Je ne fêterai pas cette mort», *Le Monde,* París, 22 de noviembre de 1975.
Le New York de Arrabal, París, André Balland, 1973.
«Le nouveau "nouveau théâtre"», *Théâtre XI,* París, Christian Bourgois, 1976, págs. 7-10.
«L'entropie et ses ravages», *La Tour de Babel,* París, Bourgois, 1976.
«Les détenus de Carabanchel», *Le Monde,* París, 10 de febrero de 1975.
Les échecs féeriques et libertaires: Chroniques de l'Express, Éditions du Rocher.
«Les Obsessions de mon enfance», *Les Nouvelles Littéraires,* 2161, 20 de febrero de 1969, pág. 13.

«Les Prisons d'Espagne», *Le Monde,* 31 de octubre de 1967.
«Les prisons espagnoles», *Libération,* París, 29 de septiembre de 1979.
«La tête de mort en acier», *Libération,* París, 23 de octubre de 1975.
«Le théâtre comme cérémonie panique», *Le panique. Théâtre IV,* París, Bourgois, 1970.
Lettre au Général Franco (edición bilingüe francés-español), Col. 10-18, núm. 703, París, 1973.
Lettre au Général Franco, París, Union Générale d'Éditions, 1972.
«L'Homme panique», *Le Panique,* París, Union Générale d'Éditions, 1973, págs. 37-53.
«Présentation des dessins de Torpor», Albin Michel, 31 de octubre de 1967.
«Sa longue terreur», Le Point, París, 27 de febrero de 1975.
«Saura» (Programa para la exposición, Galérie Stadler), París, 1969.
Sur Fischer, París, Éditions du Rocher, 1974, págs. 97-100.
«Temoigner dignement» ("Y pusieron esposas a las flores"), *Les Nouvelles Littéraires,* 2354, 6 de octubre de 1972, página 16.

E) ENTREVISTAS

BERENGUER, A., «Entretien avec Arrabal à Censier», U.E.R. d'Études Ibériques de París, III, Sorbonne Nouvelle, 6 de mayo de 1971.
BOUYER, M., «Entretien avec Arrabal», *Les Langues Modernes,* núm. 2, París, marzo-abril de 1965.
— «Entrevista de Arrabal», *La Estafeta Literaria,* núm. 359, Madrid, 1966.
ESPINASSE, Françoise, «Entretien avec Arrabal», *Théâtre III,* París, Christian Bourgois, 1969, págs. 7-22.
HENRÍQUEZ, F., «Entrevista con F. Arrabal», *Yorick,* Barcelona, mayo de 1966.
ISASI, Carlos, «Diálogos del teatro español de la postguerra», *Ayuso,* Madrid, 1974, págs. 311-320.
KAMINSKY, J., «Interview: La Medecine est inutile», *Tonus,* núm. 551, París, 9 de enero de 1973.
KNAPP, Bettina, «Interview with Arrabal», *First Stage,* vol. 6, núm. 4, Indiana, Purdue Univ. (1967-1968), páginas 198-201.

— «Auto-interview», *The Drama Review,* 13, 1968, páginas 73-76.
— «Entrevista con Arrabal en París», *El Heraldo,* núm. 167, México, 19 de enero de 1969.
LITTET, Remy, «Arrabal», *Nouvelles Littéraires,* 2316, 3 de junio de 1972, pág. 24.
MESSERMAN, Lois M., «Dialogue with Arrabal», *Evergreen Review,* núm. 15, noviembre-diciembre de 1960.
MONLEÓN, José, «Arrabal y Latinoamérica», *Primer Acto,* núm. 174, noviembre-diciembre de 1960, págs. 70-75.
MUNK, Erika, «The Director Has No Clothes», *The Village Voice,* 14 de junio de 1976, pág. 125.
SCHIFFRES, Alain, *Entretiens avec Arrabal,* París, Éditions Pierre Belfond, 1969.
TRAVELET, Françoise, «Interview: Le Théâtre comme l'Amour», *La Rue,* núm. 15, París, primer trimestre, 1973.

F) PELÍCULAS

Viva la Muerte.
J'irai comme un Cheval fou.
L'Arbre de Guernica.
L'Odyssée de la Pacific.
Le Cimetière des Voitures.

*II. CRÍTICA SOBRE ARRABAL**

ARATA, Luis Óscar, *The Festive Play of Fernando Arrabal,* Kentucky, Univertity of Kentucky, 1982.
BERENGUER, Joan, *Bibliographie de F. A.,* Presses de l'Université de Grenoble, 1978. (La bibliografía más completa hasta hoy.)
BERENGUER, Joan y Ángel, eds., *Fernando Arrabal,* Madrid, Fundamentos, 1977. (Para recoger los mejores artículos de todas las lenguas consultar esta edición.)

* No hay, por razones de espacio, noticia de la gran cantidad de artículos que la obra de Arrabal ha suscitado. En las obras críticas señaladas se encontrará referencia a la mayoría de ellos.

BERENGUER, Ángel y Albert Chesneau, *Plaidoyer pour une différence,* Grenoble, 1978. (Entrevistas con Arrabal.)
BERENGUER, Ángel, *L'exil et la cérémonie* (le premier théâtre d'Arrabal), Col. 10-18, núm. 1128, París, Bourgois, 1977.
BERENGUER, Ángel, ed., *Arrabal: Teatro Completo,* Planeta, Col. Goliárdica.
DAETWYLER, Jean-Jacques, *Arrabal,* Lausana, Editions L'Âge d'Homme, 1975.
DONAHUE, Thomas John, *The Theatre of Fernando Arrabal: A Garden of Earthly Delights,* Nueva York, University Press, 1980.
ESSLIN, Martin, *El teatro del absurdo,* Barcelona, Ediciones Seix Barral, 1966.
GILLE, Bernard, *Arrabal,* París, Col. Théâtre de tous les temps, Seghers, 1970.
PODOL, Peter L., *Fernando Arrabal,* Boston, Twayne Publishers, 1978 (en inglés).
RAYMOND-MUNDSHAU, Françoise, *Arrabal. Classiques du XX Siècle,* París, Editions Universitaires, 1972.
SCHIFFRES, Alain, *Entretiens avec Arrabal,* París, Pierre Belfond, 1969.
SERRAU, Geneviève, *Histoire du «nouveau théâtre»,* París, Col. Idées Gallimard, 1966.

El cementerio de automóviles

PERSONAJES

LASCA, mujer de edad.
TIOSIDO, muchacho joven.
MILOS, criado distinguido de unos 40 años.
DILA, mujer de 25 años, guapa.
EMANU, trompetista de 33 años.
TOPÉ, clarinetista de 30 años.
FODER, saxofonista de 30 años, mudo.

Explanada delante de un cementerio de automóviles. Al fondo, automóviles. A causa del desnivel del terreno se pueden ver a lo lejos automóviles amontonados. Son viejos y están sucios y oxidados. Los coches de la primera fila no tienen cristales sino cortinas de tela de saco.

Para distinguirlos los llamaremos: «coche 1», «coche 2», «coche 3», «coche 4» y «coche 5».

Delante y a la derecha está el «coche A»[1]*. Tiene, también, a guisa de ventanillas, cortinas de saco y una chimenea sobre el techo.*

Delante del «coche 2» hay un par de botas sucísimas y destrozadas.

---

[1] P. A. añade: «Automóviles americanos de colores vivos. Los cinco y el coche A tienen a guisa de ventanilla, cortinas de tela de saco y chimeneas sobre el techo.»

ACTO PRIMERO

(DILA *sale del «coche A» con una campanilla en la mano.)*

DILA.—*(Dirigiéndose a los ocupantes de los coches mientras toca la campanilla fuertemente.)*[2]

¡A dormir todo el mundo! No quiero volver a oír ni una mosca. ¡A dormir todo el mundo!

(Se oyen las protestas y los murmullos de desaprobación que salen del interior de los coches.)

¿Qué es eso? ¿Los señores protestan?

(DILA *se para un momento para oír mejor, tras breve silencio se oye un leve murmullo de queja que emerge del «coche 3».)*

¡A callarse!

VOZ DE HOMBRE.—*(«Coche 3».)*

¡Pero si sólo estábamos rezando!

DILA.—*(Metiendo la cabeza entre las cortinas del «coche 3»)*[3].

---

[2] P. A. y C. B.: *«Dirigiéndose hacia los coches mientras toca la campanilla fuertemente.»*

[3] P. A. y C. B.: *«Metiendo la cabeza entre las cortinas de tela de saco del "coche 3".»*

¿Creéis que no sé muy bien lo que pasa? Menuda pareja estáis hechos[4].

(Desde el centro de la explanada a todos.)

El que quiera rezar que rece, pero en silencio.

(Nuevos murmullos de desaprobación.)

¡Silencio! ¡A dormir todo el mundo! Y que no tenga yo que levantarme por culpa de «los señores»[5].

(DILA *da unos cuantos campanillazos más y se mete en el «coche A». Murmullos de desaprobación. Silencio. Un atleta a paso gimnástico entra por la derecha. Es* TIOSIDO, *la caricatura del atleta; su manera de marchar es también la caricatura del atletismo. Va vestido de atleta con el número 456 sobre el pecho. Es muy joven*[6]. *Junto a él —retrasándose y adelantándose— va* LASCA. *Tiene un aspecto muy corriente y el pelo blanco*[7]. *Parece infatigable. Aconseja a* TIOSIDO *mientras cruzan la escena de derecha a izquierda.)*

LASCA.—¡Ese pecho!

(Pausa.)

La respiración, no te olvides de la respiración.

(Pausa.)

Uno-dos, uno-dos, uno-dos, uno-dos.

(Pausa.)

---

[4] P. A.: «¿Es que os vais a creer que me chupo el dedo? Menuda pareja de maulas estáis hechos.»
En C. B. no aparece «¿Es que os vais a creer que me chupo el dedo?» Pone sólo: «Menuda pareja de maulas estáis hechos.»

[5] P. A. y C. B.: «Y que no tenga yo que levantarme esta noche por culpa de los señores.»

[6] En P. A. y C. B. no aparece esta frase.

[7] En P. A. y C. P. no aparece: *«Tiene un aspecto muy corriente y el pelo blanco.»*, sólo: *«Tienen el pelo blanco.»*

La barbilla[8]. Y sobre todo no te olvides de la respiración.
Uno-dos, uno-dos, uno-dos, uno-dos, uno-dos.

(LASCA *infatigable*[9]. TIOSIDO *agotado. Tras cruzar el escenario de derecha a izquierda salen por la izquierda. Aún se oye el «uno-dos» de* LASCA. *De pronto, dentro del «coche 3», se oye que hacen ruidos. Alguien enciende una vela dentro de él. A través de la cortina se ve un pequeño resplandor. Dentro del «coche 3» un hombre y una mujer de unos setenta y tantos*[10] *años cada uno, sostienen este diálogo.)*

VOZ DE MUJER.—¿Qué te pasa amor?
VOZ DE HOMBRE.—No puedo dormir a gusto. Hay algo que me molesta.
VOZ DE MUJER.—¿No será que te has clavado el volante en los riñones?
VOZ DE HOMBRE.—No es eso. Es la postura.
VOZ DE MUJER.—¿Quieres cambiar de sitio conmigo?
VOZ DE HOMBRE.—Bueno.

(Ruidos de muelles, de hierros. Golpes. Voces del hombre y de la mujer: «Venga.» «No empujes tanto.» «No soy yo quien empuja.» «Cuidado con mi pierna», etc., tras algunos quejidos de fatiga los ruidos cesan.)

VOZ DE MUJER.—¿Te encuentras bien, amor?
VOZ DE HOMBRE.—Sí, mucho mejor.
VOZ DE MUJER.—¿Quieres alguna cosa más?
VOZ DE HOMBRE.—No. Vamos a ver si podemos dormir tranquilos.

(Un tiempo.)

---

[8] P. A.: «El mentón.»
[9] P. A.: *«incansable»*.
[10] P. A. y C. B.: *«Setenta años.»*

¿Has pedido que nos sirvan el desayuno en la cama?[11].

VOZ DE MUJER.—¡Ay!, no. Se me ha olvidado. No te preocupes, ahora mismo llamo al criado.

(Ruidos de muebles. Por fin se oye la bocina del «coche 3». Otro bocinazo. Del «coche A» sale un criado perfectamente vestido y muy correcto. Se llama MILOS. *Se dirige al «coche 3». Pasa la cabeza entre las cortinas tras haber dado un golpe leve sobre la portezuela.)*

MILOS.—¿Qué quieren los señores?

VOZ DE MUJER.—Se nos había olvidado encargar el desayuno[12].

MILOS.—¿Quieren los señores que se lo sirva en la cama?

VOZ DE MUJER.—Naturalmente.

MILOS.—¿Qué quieren desayunar los señores?

VOZ DE MUJER.—*(Al* HOMBRE.)

¿Qué quieres?

VOZ DE HOMBRE.—Una copita de aguardiente[13].

VOZ DE MUJER.—*(A* MILOS.)

Entonces, tráiganos dos copitas de aguardiente.

MILOS.—Lo siento, señores, pero no tenemos aguardiente.

VOZ DE HOMBRE.—*(Irritado.)*

¿Que no tienen aguardiente? En menudo tugurio nos hemos metido. Ni siquiera tienen aguardiente[14]. Ya te dije que este sitio no me gustaba nada en absoluto. ¡Pero te empeñaste!

(A MILOS.)

Entonces, ¿qué tienen?

---

[11] P. A. y C. B.: «¿Has pedido que nos sirvan mañana el desayuno en la cama?»

[12] P. A.: «encargarle»

[13] P. A.: «Una copa de aguardiente.»

[14] P. A. y C. B.: «¿Que no tiene aguardiente? En menudo tugurio nos hemos metido. Ni siquiera tienen aguardiente.»

MILOS.—Tenemos pipas, un barquillo, regaliz y judías verdes a discreción.

VOZ DE HOMBRE.—Y agua ¿tienen?

MILOS.—Sí, señor, toda la que quiera el señor.

VOZ DE HOMBRE.—Entonces tráiganos un par de vasos de agua muy caliente[15].

MILOS.—¿Cómo quieren los vasos los señores? ¿Grandes o pequeños?

VOZ DE HOMBRE.—Grandes.

MILOS.—¿Quieren algo más los señores?

VOZ DE HOMBRE.—No, nada más.

MILOS.—A su disposición, señor. No tiene nada más que llamarme. Que pasen muy buenas noches los señores.

(MILOS *ve el par de botas que hay junto al motor del «coche 2». Las coge. Las mira. Las deja sobre el motor*[16]. *Va al «coche A». Saca un cepillo. Vuelve hacia el «coche 2». Muy elegantemente escupe sobre las botas. Luego extiende la saliva por toda la bota con ayuda del cepillo. Por fin cepilla. Mientras está sacando brillo entran en escena* LASCA *y* TIOSIDO *por la derecha.* TIOSIDO *sigue vestido de atleta, sigue corriendo*[17] *a paso gimnástico y está más agotado que la otra vez.* LASCA, *sin dar muestras de fatiga*[18], *aconseja a* TIOSIDO.)

LASCA.—La respiración. ¡Esa respiración!
(Más tarde.)
Saca el pecho. Derecho, no te inclines. Uno-dos, uno-dos, uno-dos.

(Cruzan el escenario de derecha a izquierda. Salen por la izquierda. MILOS *ni siquiera los ha mirado. Sigue limpiando las botas, sin perder sus buenos modales.* MILOS *una vez que ha terminado de lim-*

---

[15] P. A. y C. B.: «Muy caliente.»
[16] P. A.: *«Las deja sobre el montón.»*
[17] P. A.: *«...sigue marchando».*
[18] C. G.: *«muestra de fatigas».*

piar las botas vuelve al «coche A». Antes de que MILOS *haya entrado en el «coche A»,* DILA *sale del mismo coche.)*

MILOS.—*(Duramente.)*
Vete a hacer lo que te tengo ordenado.

DILA.—Déjame que no lo haga hoy.

MILOS.—*(Colérico.)*
Estira la mano.

(DILA, *temerosamente, estira la mano*[19] *hacia* MILOS. MILOS, *con una regla, le da un par de reglazos.)*

La otra mano.

*(*MILOS *le da otro par de reglazos en la otra mano.)*

Y ahora ve a hacer lo que te tengo mandado.

(DILA, *casi llorando, va al «coche 1», pasa la cabeza entre las cortinas de saco.* MILOS, *junto al «coche A», la contempla.)*

DILA.—Señor, déjeme que le bese.

(Ruido de beso.)

Gracias.

(DILA, *siempre a medio llorar, va al «coche 2».)*

DILA.—¿Todavía no está dormido? ¿Qué le pasa?

VOZ DE HOMBRE.—*(Gruñón.)*
¿Cuándo vas a dejar de molestarme? Estoy harto de que todas las noches me vengas con esta comedia.

DILA.—Deme un beso.

VOZ DE HOMBRE.—Te he dicho mil veces y mil veces te volveré a decir que no.

DILA.—Os lo ruego[20].

VOZ DE HOMBRE.—Te he dicho que me dejes en paz.

---

[19] P. A. y C. B.: *«su mano».*

[20] P. A. y C. B.: «Se lo ruego.»

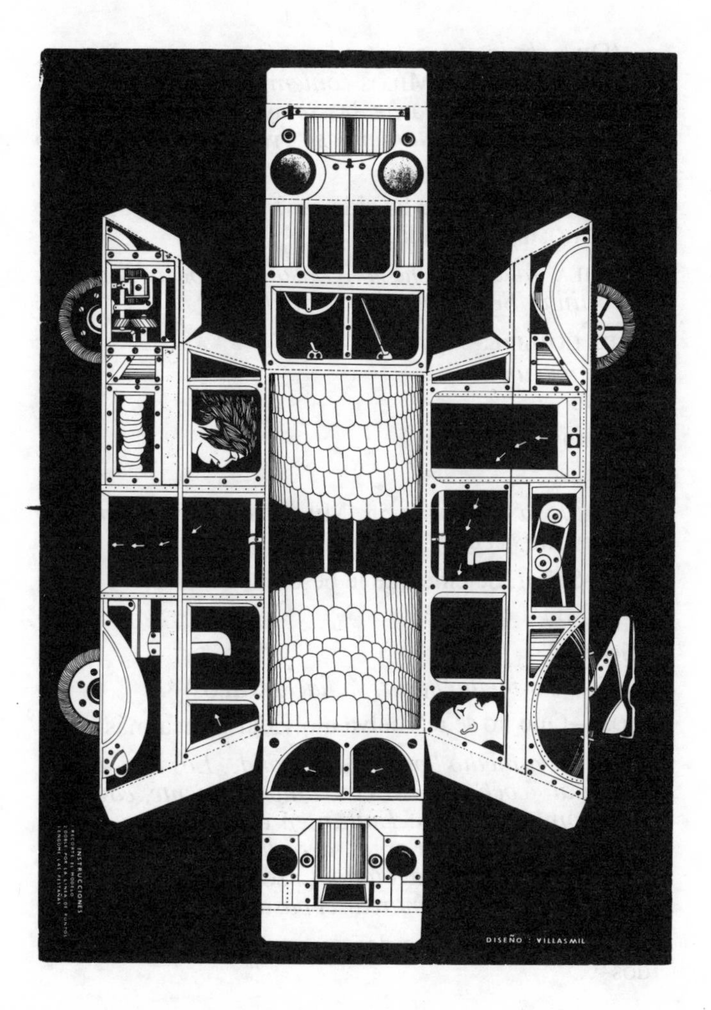

Del programa del Teatro Nacional de Venezuela para
El cementerio de automóviles.

(DILA *da la sensación de que forcejea para besarle. Por fin lo logra.* MILOS *contempla contento la escena.* DILA *va al «coche 3». Se oye cómo* DILA *besa a alguien. Inmediatamente se oye este diálogo dentro del «coche 3».)*

VOZ DE MUJER.—¿Qué ha sido eso?
VOZ DE HOMBRE.—Nada.

(DILA *va al «coche 4». Pasa la cabeza entre las cortinas. Se oye el ruido de un beso.)*

VOZ DE HOMBRE.—Otro.

(Se oye un beso.)

Otro[21].

(Se oye un beso.)

Gracias.

(DILA *va al «coche 5».* MILOS *sigue contemplando muy satisfecho.)*

DILA.—Señor, déjeme que le bese.

(Beso.)

¡Gracias!

*(*DILA, *a medio llorar, va hacia* MILOS)[22].

MILOS.—Que no se te vuelva a olvidar nunca más.

*(*DILA, *a medio llorar, no responde. Los dos se dirigen al «coche A».* MILOS, *amorosamente, coge por el hombro a* DILA. *Entran en el «coche A». Silencio. Ronquidos. Por la derecha entra* TIOSIDO *a paso gimnástico, agotado.* LASCA *[delante de él] infatigable, le hace marcar el paso.)*

LASCA.—Uno-dos, uno-dos, uno-dos, uno-dos, uno-dos[23]...

---

[21] No se repite este mandato en P. A.

[22] P. A. y C. B.: *«...vuelve hacia Milos».*

[23] C. B. y C. G.: comienzan con «Uno-dos, uno-dos», y siguen «Uno, dos, uno, dos...» a partir de este punto. P. A. pone: «Uno-dos, uno-dos...» a través de la obra.

(Cruza el escenario de derecha a izquierda. Desaparecen por la izquierda. Silencio. Ronquidos. Por la derecha entra EMANU *con una trompeta en la mano. En la otra lleva una cesta de labor que deposita en el suelo.* EMANU *toca la trompeta*[24]*. En el silencio su trompeta suena durante largo tiempo.* DILA *saca la cabeza por la ventanilla del «coche A» y contempla a* EMANU *entusiasmada.* MILOS, *violentamente, corre la cortina*[25] *y hace entrar a* DILA. EMANU *se calla. Silencio. Al fondo y a la derecha se oye un toque de clarinete. Inmediatamente también* EMANU *toca su trompeta. Silencio. Entra en escena por la derecha* TOPÉ *con un clarinete en la mano. Y por la izquierda* FODER *con su saxofón en una mano y tres hamacas plegables, en la otra.* FODER *es mudo. Se saludan alegremente.)*

EMANU.—Ya hacía rato que os esperaba.

TOPÉ.—Pues no puedes decir que hemos llegado tarde.

(FODER *despliega las tres hamacas. Los tres amigos se sientan cómodamente sobre ellas.* FODER *—el mudo— es muy expresivo. Su mímica es muy alegre, casi siempre está a favor de lo que dice* EMANU, *por el que al parecer tiene una gran admiración.* EMANU *saca de la cesta de labor lo necesario para hacer punto. Está haciendo un jersey.* FODER *devana la madeja que* TOPÉ *ha colocado entre sus brazos)*[26].

TOPÉ.—¿Y a qué hora tenemos que ir a tocar?

EMANU.—Dentro de un momento.

TOPÉ.—¿Van a venir los polis a detenernos?

EMANU.—Dicen que sí. Pero nos escaparemos como siempre.

TOPÉ.—¿Va a durar mucho el baile?

---

[24] P. A.: *«Emanu toca a la trompeta un "blues" de Armstrong.»*

[25] P. A.: «cierra la cortina».

[26] No aparecen en P. A. y C. B. las últimas tres frases: *«Emanu saca de la cesta... entre sus brazos.»*

EMANU.—Hasta la madrugada.
TOPÉ.—Pues nos vamos a hartar de tocar.
EMANU.—Hay que hacerlo.
TOPÉ.—Tendríamos que encontrar otro oficio más productivo.
EMANU.—Ya he pensado en ello.
TOPÉ.—¿Y qué se te ha ocurrido?
EMANU.—Podríamos ser ladrones.
TOPÉ.—¿De los que roban?
EMANU.—Pues claro.
TOPÉ.—*(Satisfecho y sorprendido.)*
¿No?
EMANU.—Así tendríamos mucho dinero. Ya no tendríamos que distraerles tocando. Les daríamos el dinero y san seacabó[27].
TOPÉ.—*(De pronto.)*
¿Y podríamos también ser criminales?
EMANU.—¿Y por qué no?
TOPÉ.—*(Satisfecho.)*
Saldría nuestro nombre en los periódicos.
EMANU.—¿Y cómo lo dudas?
TOPÉ.—Pero eso de ser criminal sí que tiene que ser difícil.
EMANU.—Sin comparación mucho más que ladrón. Además hay que tener mucha suerte.
TOPÉ.—Tienes razón; un crimen tiene que ser la mar de complicado.
EMANU.—Y siempre hay jaleos: Que si se mancha uno de sangre, que si las huellas...
TOPÉ.—*(Interrumpiéndole.)*
¡Huy, lo de las huellas, ya he oído hablar de eso!
EMANU.—Y sobre todo, lo peor: la víctima casi siempre chilla por lo que he oído.
TOPÉ.—¿Chilla?

---

[27] P. A. y C. B.: añaden lo siguiente:
«Topé.—¡Ah!, pues es verdad.
Emanu.—Y, además, seríamos muy importantes. Cuando se tiene mucho dinero, se es una personalidad.»

EMANU.—Sí, no quiere que la maten.
TOPÉ.—*(Soñador.)*
Tiene que ser muy bonito.
EMANU.—Pero ya te digo, muy difícil y muy expuesto.
TOPÉ.—¿Y nadie puede matar sin que le pase nada?
EMANU.—Claro que sí. Todo está muy bien organizado. Hay una forma, pero hay que estudiar mucho.
TOPÉ.—¿Cómo?
EMANU.—Haciéndose juez.
TOPÉ.—¿Y ganan tanto dinero como los criminales?
EMANU.—Sí, mucho.
TOPÉ.—¿Y a quiénes matan?
EMANU.—Pues muy sencillo, matan a los que hacen cosas malas.
TOPÉ.—¿Y cómo hacen para saber cuándo una cosa es mala?
EMANU.—Es que son muy listos.
TOPÉ.—Ya tienen que serlo. Oye, ¿pero siempre, siempre, saben cuándo una cosa es mala?
EMANU.—Siempre, siempre. Ya te he dicho que son muy listos y además tienen que haber hecho estudios[28], por lo menos el bachillerato y todo lo demás.
TOPÉ.—*(Asombrado)*[29]. Vaya tíos, así ya podrán.

(Alguien dentro del «coche 2» toca la bocina. EMANU *y* TOPÉ *se callan y esperan. Nuevos bocinazos. Del «coche A» sale* MILOS, *impecable. Los tres amigos contemplan la escena.* MILOS *se dirige al «coche 2». Introduce la cabeza entre la cortina y el saco.)*

MILOS.—¿Qué desea, señor?
VOZ DE HOMBRE.—*(Seca y autoritaria.)*
Una mujer... una criada[30].

---

[28] P. A. y C. B.: «muchos estudios...»
[29] «Asombrado» no aparece en P. A. y C. B.
[30] P. A. y C. B.: «La criada.»

MILOS.—Inmediatamente se la traigo al señor. ¿Quería algo más?

(Silencio.)

Que pase muy buena noche el señor.

*(*MILOS *entra en el «coche A». Inmediatamente sale del «coche A»* DILA *—en combinación— a punto de llorar.* DILA *va al «coche 2». Asoma la cabeza entre las cortinas.)*

DILA.—Buenas noches, señor...

(Sin dejarla terminar, una mano la atrae violentamente hacia el interior. DILA *entra en el «coche 2».* EMANU, TOPÉ *y* FODER *han comtemplado la escena con curiosidad pero sin mostrar la menor sorpresa)*[31].

TOPÉ.—Es que, Emanu, ya empieza a cansarme eso de tocar y tocar todas las noches...
EMANU.—Pero Topé, los pobres también tienen que bailar. Y como no tienen dinero para ir al baile...
TOPÉ.—Los que pagamos el pato somos nosotros.
EMANU.—¿Y qué te puede importar? Como sólo nosotros sabemos tocar...
TOPÉ.—Eso una vez, dos. ¿Pero cuánto tiempo hace que venimos todas las noches?
EMANU.—Y he perdido la cuenta.
TOPÉ.—Y como nos está prohibido tocar al aire libre[32], estamos expuestos, por si fuera poco, a que el menor día nos metan en la cárcel. Ya sabes que seguramente esta noche vendrán a por nosotros[33].
EMANU.—No te preocupes, nos escaparemos.
TOPÉ.—Y luego esa moda que has sacado[34] de hacerles jerseys para el invierno y cogerles margaritas para

---

[31] P. A. y C. B.: *«...han contemplado con tranquilidad la escena».*
[32] P. A.: «Y como no nos permiten tocar...»
[33] P. A.: «vendrán por nosotros».
[34] P. A.: «que han sacado...»

cuando se enamoran. Te aseguro que a mí también me gustaría ser un pobre del barrio.

EMANU.—Pero no olvides que tenemos que ser buenos.

TOPÉ.—Pero ¿para qué nos va a servir?

EMANU.—Porque siendo bueno...

(Recitando.)

«se siente una gran alegría[35] interior que proviene de la tranquilidad en que se halla el espíritu al sentirse semejante a la imagen ideal del hombre».

TOPÉ.—¡Vaya tío que eres! ¡Nunca te equivocas ni lo más mínimo! Además, lo dices sin respirar, que tiene más mérito.

EMANU.—Claro, como que me lo aprendí de carrerilla[36].

TOPÉ.—Yo creo que lo que tendríamos que hacer para que los pobres dejen de sufrir es matarles a todos[37].

EMANU.—Eso ya lo han intentado hace mucho los otros y no lo logran, y eso que son la mar de influyentes.

TOPÉ.—Pues entonces, ¿no hay medio?

EMANU.—Nosotros no lo conocemos aún[38]. Tendremos que seguir tocando todas las noches.

TOPÉ.—Lo malo es que ya sabes cómo se han puesto contra ti los otros. Desde que el otro día diste de comer a todo el baile con una sola barra de pan y una lata de sardinas están que muerden[39]. Entre ellos y los polis no te van a dejar en paz.

(Por la derecha entra TIOSIDO *[agotado por el esfuerzo] a paso gimnástico.* LASCA *le sigue infatigable*[40] *dándole consejos; ahora lleva un grueso reloj despertador en la mano.)*

---

[35] P. A.: «una alegría».

[36] P. A. y C. B.: «Carretilla.»

[37] P. A. y C. B.: «para que los pobres dejen de pasarlo mal, es matarlos a todos».

[38] P. A. y C. B.: «Nosotros no lo conocemos aún: nunca hemos leído un libro de economía.»

[39] P. A.: «no te aguantan».

[40] P. A. y C. B.: *«Le sigue, incansable, Lasca.»*

LASCA.—Un esfuerzo y bates el récord.

(Más tarde.)

Sólo un pequeño esfuerzo y tienes el récord en tu mano. Sigue, sigue.

(Más tarde.)

Ya verás cómo esta vez sí que bates el récord.

(LASCA *y* TIOSIDO *cruzan el escenario de derecha a izquierda. Durante el tiempo que* LASCA *y* TIOSIDO *cruzan el escenario, los tres amigos dejan de hablar y los contemplan con curiosidad, pero sin asombro.)*

EMANU.—Pero si no tocamos nosotros, ¿quién lo va ha hacer?

TOPÉ.—En eso sí que tienes razón.

EMANU.—Además, con el frío que hace estas noches, si no bailan, figúrate.

TOPÉ.—Y que me lo digas a mí que me quedo hecho un carámbano mientras toco el clarinete.

EMANU.—Pero no olvides lo que siempre te repito, en cuanto encontremos otra cosa mejor para ellos y que nos cueste menos trabajo dejaremos de tocar todas las noches.

(De la derecha vienen voces irritadas, que dicen:)

—¿Pero cuándo van a venir esos músicos?

—¡Estamos hartos de esperar!

—¡Cada noche vienen más tarde!

—Eso es un abuso.

—*(Todos a coro:)* Mú-si-ca, mú-si-ca, mú-si-ca...

TOPÉ.—Ya los oyes.

EMANU.—Es verdad, qué enfadados están.

TOPÉ.—Como no vayamos en seguida no sé lo que nos van a hacer.

EMANU.—Esperad un momento que termine esta vuelta.

(EMANU, *que sigue haciendo punto, intenta ir más de prisa...)*[41]. *(Voces desde el fondo —a la derecha.)*

—*(Todos a coro:)* Mú-si-ca, mú-si-ca, música...

—*(Alguno):* ¿Pero qué hacen esos músicos que no vienen?

TOPÉ.—Venga, vamos que nos van a linchar.

EMANU.—¡Con lo que son!

TOPÉ.—La culpa es nuestra: teníamos que estar ya sobre el tablado.

EMANU.—Id vosotros ahora[42]. Yo iré cuando termine esta vuelta.

TOPÉ.—Bueno, hasta ahora.

(TOPÉ *y* FODER *salen por la derecha. Poco después la muchedumbre que gritaba, silba. Entre los silbidos se pueden escuchar algunos aplausos. Poco tiempo después empieza la música*[43]. *Los ritmos se oyen aunque suavemente durante las próximas escenas. Sólo jazz y rock*[44]. *En cuanto* TOPÉ *y* FODER *salen,* EMANU *corre a la derecha para convencerse*[45] *de que sus amigos se han alejado suficientemente. Luego se acerca al «coche 2».)*

EMANU.—*(Como en un susurro.)*

Dila. Dila.

(Pausa.)

Dila.

(Pausa. Más fuerte.)

Dila, soy yo[46].

VOZ DE HOMBRE.—*(Que está dentro del «coche 2». Despectivo.)*

---

[41] P.A. y C. B.: *«(*EMANU, *que está haciendo punto —un jersey— desde hace un rato intenta ir de prisa.)»*

[42] C. B. y C. G.: «Ir vosotros ahora.»

[43] P. A. y C. B.: *«comienza la música»*.

[44] P. A.: *«No se toca otra cosa que "jazz" y "rock and roll".»* No aparece esta frase en C. B.

[45] P. A.: *«cerciorarse»*.

[46] C. G.: «Dila.—Soy yo.»

Espérese, coño. Ahora mismo sale[47].

(Silencio. EMANU *espera impaciente.* DILA, *por fin, asoma la cabeza. Va a salir. De pronto la mano del hombre del «coche 2» la atrae de nuevo al interior del coche. Silencio.* EMANU *espera impaciente. Por fin,* DILA *sale del «coche 2», esta vez violentamente. Sin duda, arrojada del interior. Cae al suelo.* EMANU *se acerca a ella.)*

EMANU.—Quería verte.

(Pausa.)

Dila, quiero estar contigo esta noche. Quiero que mi boca sea una jaula para tu lengua y mis manos golondrinas para tus senos[48].

DILA.—*(Sorprendida.)*
¡Emanu!

EMANU.—Además, los amigos dicen que no soy un hombre. Dicen que no podré serlo hasta que haya estado con una mujer.

DILA.—¿Y quieres que sea conmigo?

EMANU.—Sí, Dila. Tú eres mejor que las otras. Contigo no me va a dar casi vergüenza. Además, sé casi cómo tengo que hacer. Cuando te miro, trenes eléctricos danzan como mariposas entre mis piernas.

DILA.—Sabes cómo es él de celoso.

EMANU.—No nos verá. Seguro. Y si nos descubriera le diríamos que estábamos jugando a los soldados[49]. Estaremos juntos e invisibles como la noche y los pen-

---

[47] P. A.: «Espérese. Ahora mismo voy.»
C. B.: «Espérese, coño. Ahora mismo termino.»

[48] En P. A. no aparece el segmento.
«EMANU.—Quería verte... ardillas submarinas.»
*(*EMANU *se acerca a ella.)*
DILA.—Pero ya sabes cómo es él de celoso.
EMANU.—No nos verá. Y si nos ve, le diremos que estamos jugando a los soldados.
DILA.—Pero, Emanu, tienes que ir a tocar la trompeta al baile», etc.

[49] C. B.: No aparece esta frase.

samientos. Nos abrazaremos y revolotearemos como dos ardillas submarinas.

DILA.—Pero Emanu, tienes que ir a tocar la trompeta al baile.

EMANU.—Pero si sólo será cuestión de unos minutos.

(De pronto.)

¿Es que no quieres?

DILA.—Sí, pero...

EMANU.—Ya sé, no quieres porque sabes que no tengo experiencia.

DILA.—Eso no tiene importancia. Yo tengo mucha.

EMANU.—Entonces Dila, nos compensamos.

DILA.—Vamos.

(Pausa.)

Te acariciaré como si fueras un lago de miel en la palma de mi mano[50].

(DILA *y* EMANU *se colocan detrás del «coche A» de forma que los espectadores no les ven. En el baile —al fondo y a la derecha— en este momento suena un rock particularmente rítmico. A los pocos instantes sale del «coche A»* MILOS. *Se encarama sobre el motor del coche y ve lo que pasa detrás —es decir, lo que hacen* DILA *y* EMANU. *Mira lleno de curiosidad y de alegría. A los pocos instantes se dirige al «coche 2». Habla al hombre del interior pasando la cabeza por entre las cortinas.)*

MILOS.—Mire lo que hace Dila.

(Ríe.)

Cuidado que no le vean. Mire a través de las cortinas.

---

[50] P. A.: «*(Condescendiente.)* Bueno, vamos.» No aparece la última frase.

C. B.: «*(Condescendiente.)* ¡Eres mi tesoro calientito! ¡Bueno, vamos! Te mimaré como si fueras un lago de miel en la palma de mi mano.»

*(*MILOS *se esconde tras el «coche 2». Ríe. Se oye la risita del hombre que está en el «coche 2». Ahora se oye la risa escandalosa del hombre del «coche 2».* MILOS *pasa la cabeza entre las cortinas del «coche 3».)*

Miren, miren. Si se esconden tras las cortinas pueden verlo todo la mar de bien[51].

(Ríe. MILOS *se esconde tras el «coche 3». Se oye la risa del hombre del «coche 2». También se oye la risa del matrimonio del «coche 3». Ella ríe histéricamente.)*

VOZ DE MUJER.—*(«Coche 3», entrecortada por la risa.)* Qué divertido. Hacía años que no había visto algo tan bueno[52].

(Ríe.)

VOZ DE HOMBRE.—*(«Coche 3», entre risas.)* ¡Qué graciosos! ¡Qué graciosos son los dos!

(Todos ríen. MILOS *va al «coche 1», pasa la cabeza entre las cortinas. Sin duda, informa, al oído, al hombre del «coche 1». Las personas que están dentro de los «coches 1, 2 y 3» ríen cada vez más.* MILOS *también.* TIOSIDO *entra por la derecha. Más cansado aún; como de costumbre, marcha a paso gimnástico.* LASCA, *infatigable, le prodiga consejos. Sus cabezas casi se tocan.* LASCA *lleva el ritmo[53].)*

LASCA.—Uno, dos, uno, dos, uno, dos. Ya llega. Ya llega. Un esfuerzo. Empuja un poco más y consigues el récord. Uno-dos, uno-dos... Ya viene, ya viene, ya viene...

---

[51] P. A. y C. B.: «Escondiéndose tras las cortinas pueden verlo todo la mar de bien.»

[52] P. A.: ...«que no había visto nada tan bueno!»

[53] P. A. y C. B.: *«Llevan un ritmo casi de samba.»*

(LASCA *y* TIOSIDO, *después de cruzar el escenario de derecha a izquierda, salen. Durante el tiempo que* LASCA *y* TIOSIDO *han estado en escena las risas han dejado de oírse y* MILOS *ha permanecido inmóvil. Pero de nuevo ríen todos con descaro.* MILOS *se acerca al «coche 4» y luego al «5». A las personas del interior les dice la misma frase:)*

MILOS—Mire, mire.

(Ríe.)

Mire qué graciosa es mi mujer.

(A pesar de que no se ve a ninguna de las personas que están en los cinco coches, sus risas son cada vez más estrepitosas. Entre las cortinas del «coche 3» aparecen unos prismáticos dirigidos hacia el «coche A»[54]*. De pronto —súbitamente—, todos se callan. El prismático desaparece.* MILOS, *atemorizado, vuelve al «coche A». Por encima del motor mira un momento hacia atrás. Gesto de terror. Rápidamente se mete dentro del «coche A». Largo silencio.* DILA *y* EMANU *aparecen de nuevo: salen de detrás del «coche A».)*

EMANU.—*(Avergonzado.)*
Dila..., la verdad[55] es que los amigos no me decían nada... y además sí que tenía experiencia. Lo que pasaba es que quería estar contigo.

DILA.—¿Por qué tienes que venir todas las noches con las mismas mentiras?

EMANU.—No me riñas, Dila.

DILA.—*(Digna.)*
No necesitas decirme nada, ya sabes que siempre acepto.

---

[54] C. G.: «unos prismáticos hacia el "coche A"».
[55] P. A.: «Perdóname, Dila... La verdad...»
C. B.: «Perdóname, Dila... la verdad...»

EMANU.—Lo hago por si acaso. Pero te prometo[56] que no te volveré a engañar.
DILA.—Todas las noches me prometes lo mismo.
EMANU.—Esta vez juro[57] que me corregiré.
DILA.—Siempre te creo.
EMANU.—Quiero ser bueno, Dila.
DILA.—Yo también quiero ser buena, Emanu.
EMANU.—Tú ya lo eres, todo el mundo puede acostarse contigo.
DILA.—Pero querría ser mejor aún.
EMANU.—Yo también.
DILA.—Pero ¿para qué nos va a servir el ser buenos?
EMANU.—Es que siendo buenos...

(Recitando como una lección aprendida.)

«Se siente una gran alegría interior[58] que proviene de la tranquilidad en que se halla el espíritu al sentirse semejante[59] a la imagen ideal del hombre.»
DILA.—*(Entusiasmada.)*
Cada vez te sale mejor, Emanu[60].
EMANU.—*(Orgulloso.)*
Sí, no me puedo quejar. Me lo aprendí de carrerilla[61].
DILA.—Tú sí que eres listo: lo sabes todo.
EMANU.—Tanto como todo, todo, no, pero casi todo. Por lo menos las cosas más importantes y además siempre de carrerilla.
DILA.—Yo lo que creo es que hay algo dentro de ti... algo formidable.

(Pausa.)

Bien, sólo para ver las cosas que sabes[62].

---

[56] P. A.: «Te prometo...»
[57] P. A.: «Esta vez te juro...»
[58] C. G.: «una gran alegría que...», aunque anteriormente la misma edición dice «una gran alegría interior que...».
[59] Errata en C. G.:
«...al sentirse a la imagen ideal del hombre».
[60] P. A. y C. B.: «Cada vez te sale mejor.»
[61] P. A. y C. B.: «Me lo aprendí de carretilla.»
[62] P. A. y C. B.: «Dime, sólo para ver, las cosas que sabes.»

EMANU.—Pues... eso[63] de que para qué sirve ser bueno... sé tocar la trompeta... sé todos los meses del año sin dejarme ni uno.

DILA.—¿No?

EMANU.—Sí, sé también cuánto vale cada billete y también los días de la semana, todo de carrerilla[64].

DILA.—¡Qué tío eres! ¿Y también sabes demostrar las cosas como las personas importantes? Demuestra lo que quieras, lo más difícil que veas[65].

EMANU.—Sí, para eso tengo un método especial. Dime que te demuestre algo muy difícil[66].

DILA.—Demuéstrame que las jirafas se montan en ascensores.

EMANU.—Nada más sencillo: las jirafas se montan en los ascensores porque se montan en los ascensores.

DILA.—*(Entusiasmada.)* ¡Qué bien lo has demostrado!

EMANU.—Todo lo demuestro igual de bien.

DILA.—Y si te pido que me demuestres lo contrario: que las jirafas no se montan en los ascensores.

EMANU.—Eso sería más fácil aún: no tendría que hacer nada más que la misma demostración sino que al revés[67].

DILA.—Muy bien. Lo sabes todo. Estoy convencida de que tú tienes que tener algo, o bien ser un hijo[68]...

(Señala el cielo, dice torpemente.)

---

[63] P. A. y C. B.: «Pues sé... eso...»

[64] En P. A. y C. B. no aparece la primera parte de esa frase, tan sólo: «Y todo de carretilla.»

[65] C. G.: «demuestra lo que quieras... veas».

En P. A. y C. B. no aparece esta frase.

[66] P. A. y C. B.: «¿Y qué menos? Para eso tengo un método especial que no puede fallar. Dime que te demuestre lo que quieras, lo más difícil que veas.»

[67] P. A.: «sino que al revés. *(Un momento de "suspense".)* Las jirafas no se montan en los ascensores porque no se montan en los ascensores.»

C. B.: «sino que al revés. Vas a ver. *(Un momento de "suspense".)* Las jirafas no se montan en los ascensores porque no se montan en los ascensores.»

[68] P. A. y C. B.: «¡Hasta rima y todo! *(Pausa.)* Sí, estoy convencida de que tú tienes que tener algo... o bien ser hijo... *(Señala al cielo...)*

...de alguien... de alguien, vamos, muy importante.

EMANU.—Que va. Mi madre era muy pobre. Me ha contado que era tan pobre que cuando yo iba a nacer nadie la dejaba entrar en su casa para que yo naciera. Sólo una vaca y un burro que estaban en un portal casi en ruinas se compadecieron de ella[69]. Mi madre entró en el portal y yo nací. El burro y la vaca con el aliento me daban calor y dice mi madre que como la vaca estaba muy contenta de que yo naciera hacía muu[70] y el burro relinchaba y movía las orejas.

DILA.—Y nadie quiso ayudar a tu madre.

EMANU.—No, nadie.

DILA.—¿Y qué pasó luego?

EMANU.—Luego fuimos a otro pueblo y allí mi padre era carpintero y yo le ayudaba a hacer mesas y sillas; pero por la noche iba a aprender a tocar la trompeta. Cuando cumplí los treinta años[71] les dije a mis padres que me iba a tocar la trompeta para que los pobres que no tenían dinero pudieran bailar por la noche.

DILA.—¿Y entonces fue cuando Topé y Foder[72] se unieron a ti?

EMANU.—Sí.

(La música que ha estado oyéndose hasta ahora termina. Se oyen gritos que provienen de la derecha. Es TOPÉ *que grita: ¡Emanu! ¡Emanu!)*

EMANU.—Me tengo que ir, si no se enfadarán.

(Entra por la derecha corriendo, FODER. *Por gestos, dice a* EMANU *que le espera.)*

EMANU.—Adiós, Dila, hasta luego.

DILA.—Adiós, Emanu.

(De pronto, preocupada.)

---

69 P. A. y C. B.: ...«en un portal se compadecieron de ella».

70 P. A. y C. B.: «...que yo hubiera nacido hacía muuu...».

71 P. A. y C. B.: «Hasta que cuando cumplí los treinta años...»

72 Errata en C. G. y C. B.:
«...Topé y Emanu se unieron a ti?»

DILA.—Oye, ¿van a venir los guardias por vosotros hoy?
EMANU.—Creo que sí. ¿Nos avisarás?
DILA.—Desde luego.
EMANU.—Gracias. Adiós[73].
DILA.—Adiós.

(EMANU *y* FODER *salen juntos por la derecha; al poco tiempo se oye de nuevo la música.* DILA *—sola en escena— llama violentamente a la puerta del «coche A»)*[74].

DILA.—Sal de ahí, no te escondas. Sal, estúpido.

(MILOS *sale al poco tiempo cabizbajo y temeroso.)*

No agaches la cabeza. Mírame.

(Cada vez más violentamente.)

Te digo que me mires. ¿Es que no me oyes? ¡Levanta la cabeza!

(MILOS, *temeroso, levanta la cabeza.)*

DILA.—¿Cuántas veces te he dicho que me tienes que dejar en paz?
MILOS.—Dila, yo no sabía que...
DILA.—No sabías, ¿eh? Todas las noches te tengo que decir lo mismo. ¿Crees que esto va a poder durar así? Estoy más que harta, me voy a ir definitivamente.
MILOS.—*(Suplicando.)*
Dila, no me dejes solo, no me abandones.
DILA.—Y por si fuera poco has avisado a esos imbéciles.

(Señala hacia los coches. Largo silencio. Dirigiéndose hacia los coches)[75].

---

[73] P. A. y C. B.: «Adiós.»

[74] P. A.: *«(Emanu y Foder salen juntos por la derecha. Al poco tiempo se oye de nuevo la música jazz. Un tiempo. Dila —sola en escena— llama violentamente a la puerta del coche A.)»*

C. B. coincide con P. A. sin la palabra «jazz».

[75] En las tres ediciones anteriores sigue igual la instrucción hasta llegar a la última frase:

P. A.: *«Luego, dirigiéndose a los coches.)»*

C. B.: «DILA.—*(Dirigiéndose a los coches.)»*

Eso es, callaros como zorros[76]. ¿Creéis que no sé que estáis espiando detrás de las cortinas?

(Silencio. Las cortinas del «coche 3» se mueven casi imperceptiblemente al mismo tiempo que se oye un cuchicheo temeroso.)

¿Qué decís? Atreveros ahora. ¿Por qué reíais?

(Silencio. DILA *va al «coche 3», levanta la cortina. No se ve nada del interior)*[77].

Eso es, haceros los dormidos. Como si no os conociera bien. ¿No me oís?

El señor se ha dormido de pronto. ¿No es eso? ¿Crees que no oí tu risa escandalosa?

MILOS.—Déjalos, ya sabes que tienen el sueño muy pesado. No te oirán por más que les grites.

DILA.—No me oirán ¿verdad? No hay peor sordo que el que no quiere oír.

(Silencio. Se oyen cuchicheos que provienen de dentro de los coches.)

¿Qué es lo que decís? Atreveros a hablar de una vez.

(Silencio.)

MILOS.—Déjales, Dila, ya sabes cómo son de susceptibles y de tímidos. Más vale que no se despierten.

DILA.—Eso es, defiéndelos tú ahora, como si no tuvieras bastante con defenderte a ti mismo.

MILOS.—No, Dila, no les defiendo.

(Pausa.)

Déjame ir a la cama, tengo mucho sueño.

DILA.—El señor tiene sueño. El señor no puede permanecer ni un momento[78] más junto a mí...

---

[76] P. A.: «Callaos como zorros.»

[77] No aparece esta instrucción: «Silencio... nada del interior.» en P. A.

[78] P. A. y J. B.: «...ni un momento más junto a mí».

MILOS.—Dila, tengo mucho sueño. Ya sabes que por la mañana tengo mucho trabajo, tengo que servirles el desayuno en la cama, tengo que hacer la limpieza de los coches, hacer las camas, quitar el polvo, sacar brillo al suelo. Ya sabes cómo son de exigentes. Y si no duermo ahora, mañana estaré para el arrastre.

DILA.—Pero antes pídeme perdón.

MILOS.—Sí, Dila, perdón[79].

DILA.—De rodillas y mejor dicho.

MILOS.—*(De rodillas, con emoción)*[80]. Perdóname, Dila.

DILA.—Puedes irte a la cama.

(MILOS *trata de besar a* DILA *al mismo tiempo que le dice «Buenas noches».* DILA *le rechaza*[81] *violentamente.)*

No me toques.

(MILOS *entra en el «coche A».* DILA *va hacia el «coche 3». Habla a los del «coche 3».)*

¡Conque seguís dormidos!

(Pausa.)

Ya me estáis dando el espejo y el peine para peinarme[82].

(Silencio. Pausa.)

¿Es que no me habéis oído?

(De entre las cortinas del «coche 3» aparecen un espejo y un peine gigantescos[83]. *No se ve la mano*

---

[79] P. A. y C. B.: «Sí, Dila. Perdón.»

[80] P. A. y C. B.: *«(De rodillas.)»*

[81] P. A.: «lo rechaza».

[82] P. A.: *«(...*DILA *va hacia el coche 3. Habla a los del coche.)* Seguís dormidos, ¿no es eso? *(Silencio. Al poco rato se oye cuchichear.)* ¿Conque seguís dormidos? *(Pausa.)* Ya me estáis dando el espejo y el peine.»

C. B. es igual a P. A. con la excepción: «DILA.—*(Habla a los del "coche 3".)»*

[83] P. A. y C. B.: *«...Aparece un peine gigantesco y un espejo gigantesco también.»*

de quien los ha sacado[84]. DILA *los coge violentamente.* DILA *va a una de las hamacas. Se recuesta sobre ella*[85]. *Se peina con mimo. Entran por la izquierda [contrariamente a las otras veces que entraban por la derecha]* TIOSIDO *y* LASCA. TIOSIDO, *vestido como de costumbre, de atleta, marcha a paso gimnástico de izquierda a derecha.* LASCA, *infatigable*[86], *parece muy enfadada.)*

LASCA.—*(Enfadadísima:* TIOSIDO *parece que no la oye.)* ¿Pero es que no me oyes? Te repito que te has confundido de dirección. Así ¿cómo vas a batir el récord? Te digo que tienes que ir hacia la izquierda[87]. Te has equivocado. ¿No me oyes?

(TIOSIDO *de pronto se para. Duda un instante. Trata de orientarse*[88]: *está cansadísimo. Por fin cambia de dirección: vuelve, siempre a paso gimnástico, hacia la izquierda.* LASCA, *contenta.)*

Eso es, hombre. Esa es la dirección. Verás. Vas a batir el récord. La respiración. Uno-dos, uno-dos, uno-dos, uno-dos[89]...

(LASCA *y* TIOSIDO *salen por la izquierda.* DILA *continúa peinándose con mimo y tranquilidad*[90]. MILOS *asoma la cabeza a través de la ventanilla del «coche A». Mira a* DILA, *sonríe*[91]. DILA *levanta la cabeza rápidamente. Al fondo, la música se oye*

---

[84] P. A.: *«lo ha sacado».*

[85] P. A.: *«recuesta en ella».*

[86] P. A.: *«incansable».*

[87] P. A. y C. B.: «Te digo que tienes que ir hacia allá. *(Señala la izquierda del escenario.)* ¿No me oyes?»

[88] Error de imprenta en C. G.: «Erata *de orientarse:...»*

[89] P. A.: *«...*LASCA *contenta, le dice:)* Eso es, hombre. Venga. Dale fuerte. Uno-dos, uno-dos,...»

C. B.: «LASCA.—*(Contenta.)* Eso es, hombre. Venga. Dale fuerte. Uno, dos, uno, dos,...»

[90] P. A. y C. B.: *«con mimo».*

[91] P. A.: «...DILA *y sonríe.»*

claramente. De pronto, a lo lejos [por la izquierda], se oyen voces)[92].

VOZ DE HOMBRE.—¡E-ma-nu! ¡Los Guardias! ¡E-ma-nu!, vienen por ti.

VOZ DE OTRO HOMBRE.—¡E-ma-nu! ¡Que ya llegan!

(DILA *se levanta inquieta, va hacia la izquierda*[93]. *Pasa delante del «coche A». Al pasar asoma* MILOS *por la ventanilla)*[94].

MILOS.—No vayas. No le avises. Qué te importa a ti que les detengan. No te metas en eso.

DILA.—*(Violentamente.)*

No soy ninguna niña. Sé defenderme sola.

(DILA *sale por la derecha.)*

DILA.—¡Emanu, los polis![95]

(MILOS *la ve alejarse con pena. Por fin mete la cabeza. Se oye muy a lo lejos*[96] *—a la izquierda— los silbatos*[97] *de los guardias; se seguirán oyendo durante toda la escena siguiente. A partir de este momento y hasta el final de este acto la acción que se desarrolla en bastidores deberá ser el contrapunto de la acción que se desarrolla en escena. Entran por la derecha* LASCA *y* TIOSIDO *arrastrándose: sin poder dar un paso.* LASCA, *infatigable, le empuja, forzándole a seguir, le arrastra. Recuérdese que* LASCA *es una mujer de edad —tiene canas— y* TIOSIDO *es joven)*[98].

---

[92] P. A. sigue «MILOS, *temeroso, se mete dentro rápidamente. Pausa. Dila se peina. La música se oye claramente. De pronto, a lo lejos —por la izquierda—, se oyen voces.*

C. B. sigue a P. A. hasta «DILA *se peina; la música se oye claramente. De pronto a lo lejos (por la izquierda) se oyen voces».*

[93] P. A.: *«inquieta y va hacia...»*

[94] P. A. y C. B.: *«Al pasar,* MILOS *asoma la cabeza.)»*

[95] En P. A. y C. B. no aparece esta frase.

[96] P. A.: *«Se oyen a lo lejos.»*

[97] P. A.: *«silbidos».*

[98] En P. A. y C. B. no aparece esta frase.

LASCA.—Haz un esfuerzo. Sólo un esfuerzo más.

(Cuando llegan a la mitad del escenario TIOSIDO *cae rendido*[99] *por el esfuerzo. Se ha desmayado.* LASCA *le hace la respiración artificial. Luego lo arrastra hasta ponerlo sobre una hamaca.* TIOSIDO *poco a poco se repone. Mientras tanto la música ha cesado. Se oyen gritos de pánico que provienen de la derecha. Ruido de carreras. De la izquierda provienen los silbatos de los guardias que se acercan cada vez más.)*

TIOSIDO.—*(Al despertarse, tiernamente a* LASCA.)
Amor mío.

LASCA.—No te pongas sentimental, como siempre[100].

TIOSIDO.—Amor mío, bésame. Lo necesito.

LASCA.—*(Sin hacerle caso.)*
¿Te has recuperado ya? ¿Se te ha pasado el desmayo?

TIOSIDO.—Sí, vidita. Ahora te tengo a ti.

(TIOSIDO *intenta besar a* LASCA *con pasión. Ella le rechaza violentamente.)*

LASCA.—Aquí no. Te he dicho mil veces que no te portes así en público[101].

TIOSIDO.—Sólo un beso. Si no me das un beso no podré recuperarme totalmente.

LASCA.—Pero sólo uno.

(TIOSIDO *y* LASCA *se besan apasionadamente*[102]. *Mientras se besan se oyen cuchicheos y risitas que provienen de los coches y se ve moverse las cortinas*[103]. *A la derecha ruidos de carreras. A la iz-*

---

[99] C. B.: *«casi rendido».*

C. B.: *«casi rendido».*

[100] P. A. y C. B.: «No te pongas sentimental.»

[101] P. A. y C. B.: «Te he dicho mil veces que no quiero que te portes así en público.»

[102] P. A.: «se besan.»

[103] En P. A. y C. B. no aparece: «se ve moverse las cortinas».

quierda, silbatos que se aproximan. TIOSIDO *y* LASCA *acaban de besarse)*[104].

LASCA.—¿No nos habrá visto nadie?
TIOSIDO.—No, Lasca, nadie[105].
LASCA.—Creo que he oído ruidos sospechosos.
TIOSIDO.—Qué imaginación tienes, vida mía.

(Se besan de nuevo largamente. Mientras se besan, cruzan el escenario de derecha a izquierda FODER, TOPÉ *y* EMANU *de prisa y encogidos, tocando casi las rodillas con la barbilla.* TOPÉ *se para y da un salto para tratar de ver lo que ocurre detrás de los coches —en el fondo. Horrorizado, hace un gesto a sus amigos indicándoles que el peligro está detrás de los coches. En efecto, se oyen muy claramente ya los silbatos de los guardias.* TOPÉ, EMANU *y* FODER *terminan de cruzar el escenario y salen por la izquierda. Los silbatos de los guardias se alejan por la derecha.* LASCA *y* TIOSIDO *terminan de besarse.)*

LASCA.—*(Emocionada.)*
¡Ay, Tiosido, cómo eres!
TIOSIDO.—¿Me querrás siempre?
LASCA.—Sí, Tiosido, bien lo sabes.
TIOSIDO.—¿Hasta que me muera?
LASCA.—Tú no te puedes morir.
TIOSIDO.—Ni tú tampoco, Lasca. Viviremos siempre juntos.
LASCA.—¿Me quieres como el primer día?
TIOSIDO.—Sí.
LASCA.—¿Sólo como el primer día?
TIOSIDO.—No, mucho más aún.

(LASCA *besa apasionadamente a* TIOSIDO[106]. *Cu-*

---

[104] En P. A. y C. B. no aparece *«(*TIOSIDO *y* LASCA *acaban de besarse.)»*
[105] P. A. y C. B.: «No, Lasca.»
[106] P. A.: *«(Se besan. Cuchicheos. Una voz susurra:...»*
C. B.: *«(Se besan. Cuchicheos, una voz susurra:...»*

chicheos en los coches. Las cortinas de saco se alborotan, una voz susurra desde el «coche 3». «¿Pero otra vez?» Los silbidos y las carreras se siguen oyendo, pero cada vez más alejados.)

LASCA.—*(De pronto, muy preocupada)*[107].
Vamos, tienes que entrenarte.

TIOSIDO.—No, Lasca. Por hoy ya es suficiente.

LASCA.—¿Suficiente? ¿Te parece suficiente? ¿Has olvidado, por casualidad que hoy sólo has empezado a las cinco de la mañana?[108]

TIOSIDO.—Un día es un día.

LASCA.—¿Te parece buena disculpa? Bien sabes que tienes que entrenarte todos los días desde las cuatro de la mañana. Si pierdes una hora es el camino de la perdición[109].

TIOSIDO.—Mañana me entrenaré más tiempo.

(Pausa. Tiernamente.)

Además, para hoy he pensado en algo mucho mejor.

LASCA.—*(Horrorizada.)*
No, eso no. Eso de ninguna manera. Te debilitarías mucho. Así no podrás nunca ganar el ŕecord.

TIOSIDO.—*(Suplicando.)*
Sólo una vez, Lasca.

LASCA.—Ni una vez ni ninguna.

TIOSIDO.—Es que Lasca... cuando estoy contigo...

LASCA.—No, te he dicho que no; además, no tenemos ningún sitio en dónde meternos.

TIOSIDO.—Podemos ir a uno de los coches.

LASCA.—No, eso sí que no. Serías capaz de llevarme a un sitio de esos[110]. ¿Es así como me quieres?

---

[107] P. A.: *«(De pronto, preocupada.)»*
C. B.: *«(De pronto preocupada.)»*

[108] En P. A. y C. B. no aparece esta frase.

[109] P. A. y C. B.: ...«todos los días. Dejar un día es el camino de la perdición.»

[110] En P. A. esta frase se escribe con interrogaciones.

TIOSIDO.—Pero si sólo es por una vez. Nadie se va a dar cuenta.

LASCA.—Pero puede vernos algún conocido mío. Y si luego se lo dicen a mi...

TIOSIDO.—*(Cortándole la palabra)*[111]. Nadie nos verá. Es ya muy de noche.

LASCA.—¿Y querrás que llene también la ficha? Con lo que ruedan esas fichas. Dios sabe a qué manos irán a parar.

TIOSIDO.—No, sólo llenaré la mía. La tuya no es necesaria.

LASCA.—*(Tras breve silencio y a punto de llorar.)*
Y ya sé, luego te vas a portar como un bruto[112].

TIOSIDO.—No, Lasca, lo haré con cuidado.

LASCA.—¿Pero me seguirás queriendo después, o vas a hacer como todos?[113]

TIOSIDO.—No, Lasca, yo no soy como los demás. Ya verás. Vamos.

(TIOSIDO *y* LASCA *van hacia el «coche A».* LASCA, *temerosa, se esconde tras el motor.* TIOSIDO *llama a la puerta del «coche A». Silencio.* TIOSIDO *llama de nuevo.)*

VOZ DE MILOS.—*(Que se acaba de despertar.)*
Sí, sí, ya voy. Pues vaya golpes, ni que estuviera sordo[114].

(No aparece nadie. Silencio. Al fondo y a la izquierda se oye la voz de DILA: *«Emanu, que vuelven los guardias.» Inmediatamente se oyen —a la derecha— los silbatos de los guardias que se acercan. A la izquierda la gente corre: ruido de carreras.* DILA *continúa llamando a* EMANU *para adver-*

---

[111] En P. A. y C. B. no aparece esta instrucción.
[112] En P. A. y C. B. no aparece «Y ya sé».
[113] P. A.: Pero ¿me seguirás... como todos?»
C. B.: no hay interrogaciones.
[114] P. A.: «Ni que fuera sordo.»

tirle la llegada de la policía. TIOSIDO *y* LASCA *se impacientan)*[115].

LASCA.—¿Pero es que no va a abrir?
TIOSIDO.—No te impacientes, mujer.
LASCA.—Llama otra vez.

(TIOSIDO, *llama procurando hacer el menor ruido posible.)*

VOZ DE MILOS.—*(Que está medio dormido.)* Pero ya he dicho que voy. ¡Qué barbaridad! ¡Vaya golpes!

(No aparece nadie. Silbatos a la derecha, carreras a la izquierda. Por la izquierda entran FODER, TOPÉ *y* EMANU. *Los tres van muy de prisa y entran casi en cuclillas*[116]. *Cruzan el escenario de izquierda a derecha. Los silbatos parten ahora de detrás de los coches, al fondo*[117]. TIOSIDO *y* LASCA *están cada vez más impacientes.)*

LASCA.—Llama otra vez.

(TIOSIDO, *con todo cuidado, llama a la puerta del «coche A»)*[118].

VOZ DE MILOS.—*(Decididamente acaba de despertarse.)* Pero ya les he oído[119]. Qué golpetazos: van a derribar la puerta como sigan así.

(No aparece nadie. Pausa[120]. *Los silbatos se alejan*

---

[115] En P. A. no aparecen las últimas dos frases: «DILA *continúa llamando... se impacientan.»*

En C. B. no aparece «DILA *continúa llamando a* EMANU *para advertirle la llegada de la policía.»*

[116] P. A. y C. B.: *«...Andan casi en cuclillas.»*

[117] P. A.: *«en el fondo»*.

[118] P. A.: «(TIOSIDO *llama con cuidado a la puerta del coche A.)»*

[119] En P. A. y C. B. no aparece la instrucción, sólo la frase: «Pero que ya les he oído.»

[120] En P. A. y C. B. no aparece *«Pausa»*.

por el fondo a la derecha. Los ruidos de carreras se alejan por el fondo[121]. *Por fin se asoma* MILOS.)

VOZ DE MILOS.—*(Violento.)*
¿Qué quiere?

TIOSIDO.—Quería pasar la noche aquí.

MILOS.—*(Deshaciéndose en atenciones.)*
Perdóneme el señor por haberle hecho esperar, no sabía que se trataba de un cliente. Por el momento tenemos algo que espero complazca al señor[122].

TIOSIDO.—Pero no estoy solo.

MILOS.—¿Está acompañado? No importa. El sitio es grande. ¿Lleva usted documentación?

TIOSIDO.—¡Ay, no!, se me ha olvidado en casa.

MILOS.—*(De nuevo violento.)*
En ese caso no tengo nada en absoluto[123].

TIOSIDO.—¿No le puede servir mi número de atleta?

(Se arranca el número 456 que lleva sobre el pecho y se lo entrega.)

---

[121] En P. A. y C. B. hay una indicación de dirección opuesta: «*el fondo, a la izquierda. Los ruidos de carreras se alejan por el fondo, a la derecha*».

[122] Nuestra edición corresponde a la versión francesa, 10/18. Las tres ediciones previas en español no toman en cuenta que Lasca se ha escondido detrás del motor.

P. A.: «MILOS.—*(Violento.)* ¿Qué quieren?

TIOSIDO.—Queríamos pasar la noche aquí.

MILOS.—*(Deshaciéndose en atenciones.)* Perdónenme los señores por haberles hecho esperar; no sabía que se trataba de clientes. Por el momento tenemos algo que espero les guste a los señores.

TIOSIDO.—Algo para los dos.

MILOS.—Sí. Ya he visto que son dos. *(Risita.)*»

C. B.: «MILOS.—*(Violento.)* ¿Qué coño quieren?» Sigue como edición Primer Acto.

C. G.: VOZ DE MILOS.—*(Violento.)* ¿Qué quieren?

TIOSIDO.—Queríamos pasar la noche aquí.

MILOS.—*(Deshaciéndose en atenciones.)* Perdónenme los señores por haberles hecho esperar, no sabía que se trataba de clientes. Por el momento tenemos algo que espero les guste a los señores.

TIOSIDO.—Pero no estoy solo.

MILOS.—¿Está acompañado? No importa...

[123] P. A.: «¿Y qué se había creído usted? En ese caso...»

C. B.: «¿Y qué se había pensado usted? En ese caso...»

MILOS.—*(Deshaciéndose en atenciones.)*
Naturalmente que sí. Estamos aquí para servir al señor; firme, por favor.

(TIOSIDO *firma. Voz de* DILA. *En bastidores a la derecha.* «Emanu, vuelven los guardias.» *Ruido de silbatos y de carreras.)*

¿Quieren seguirme los señores?

LASCA.—¿Es que no me va a pedir a mí que llene la ficha?

MILOS.—Con la firma del señor es suficiente.

LASCA.—Pero estoy segura de que es necesario que llene una ficha.

MILOS.—No se preocupe, señora, ya le digo que con la del señor es suficiente.

LASCA.—*(Disgustada.)*
Bueno. Usted sabrá lo que hace[124]. Por mí, allá películas. Seguro que se la carga[125].

(Ceremoniosamente MILOS *les abre la puerta del «coche 2»)*[126].

MILOS.—*(Al hombre que está dentro del coche.)*
Señor, que vienen otros señores a ocupar la otra mitad.

VOZ DE HOMBRE.—¡Los muy cerdos! ¿No podían ir a joder a otro rincón?[127]

MILOS.—Lo siento, señor. Para mañana intentaré encontrarle un coche individual[128].

VOZ DE HOMBRE.—Menudo berzas estás tú hecho.

(TIOSIDO *y* LASCA *entran en el «coche 2»*[129]. *Antes de cerrar la puerta.* LASCA *dice a* MILOS.)

---

[124] C. B.: «Usted sabrá lo que se hace.»

[125] P. A.: «*(Pausa.)* Estoy segura de que se la va a cargar.»
C. B.: «*(Pausa.)* Seguro que se la carga.»

[126] P. A.: «*(Ceremoniosamente,* MILOS *abre la puerta...)*»

[127] P. A.: «¿No podían ir a pasar la noche a otro rincón?»

[128] P. A.: «...buscarle un coche individual»

[129] P. A.: Errata en C. B. y C. G. «*entran en el "coche 3"*»

LASCA.—Mañana llámenos a las tres de la madrugada.

MILOS.—Descuiden los señores. Buenas noches, señores[130].

(MILOS *va al «coche A». Entra dentro*[131]. *Por la derecha entran corriendo* TOPÉ, EMANU *y* FODER. *Están amedrentados. Los silbatos de los guardias les persiguen de cerca.* TOPÉ, EMANU *y* FODER *se esconden*[132] *detrás de las hamacas, parapetados detrás del «coche 1». No se les ve*[133]. *Sólo asoman, como tres fusiles, las tres extremidades de sus instrumentos*[134]. FODER *levanta la cabeza, mira hacia la derecha, horrorizado*[135] *se agacha de nuevo. El ruido de silbatos se aproxima cada vez más por la derecha. Cuando van a entrar en escena una voz les detiene)*[136].

VOZ DE DILA.—*(Voz muy lasciva.)*[137]
Oigan, por favor[138].
Miren.

(Los guardias, se nota por el ruido de sus pasos y por la ausencia de silbatos, que se han parado.)

VOZ DE DILA.—Miren esto[139].

(Voz voluptuosa.)

¡Ay! No sé qué me pasa.

---

[130] P. A. y C. B.: «Que pasen muy buena noche los señores.»
[131] P. A. y C. B.: *«Entra dentro de él.»*
[132] C. G.: «TOPÉ, EMANU y FODER. *Se esconden...»*
[133] P. A. y C. B. *«Parapetados detrás de las hamacas, no se les ve.»*
[134] P. A.: *«los instrumentos».*
[135] P. A.: *«y horrorizado».*
[136] P. A. y C. B.: *«la voz de* DILA *les detiene.»*
[137] Esta frase no aparece en P. A.
[138] P. A. y C. B.: «Oigan, por favor. *(Risa.)...»*
«Miren esto. *(Risa.)*»
[139] P. A. y C. B.: «Miren esto. *(Risita.)*»

(Se queja y, por fin, ríe lascivamente) [140].

¿Les gusta?

(Risa estridente y cachonda[141]*. Se oyen las risas tontas*[142] *de los guardias. Alguien muge.)*

TELÓN

[140] La palabra *«lascivamente»* no aparece en las ediciones P. A. y C. B.

[141] La palabra *«cachonda»* no aparece en P. A.

[142] La palabra *«tontas»* no aparece en las ediciones P. A. y C. B.

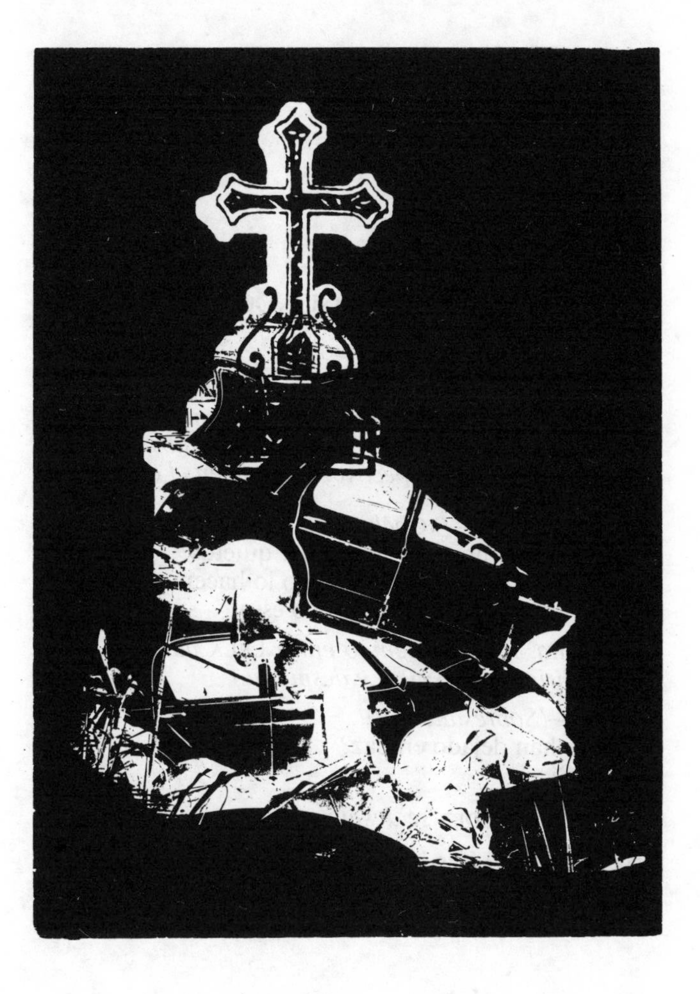

Del programa del Teatro Nacional de Venezuela para
El cementerio de automóviles.

ACTO SEGUNDO

(El mismo decorado. Horas después[143]*. A la izquierda, cada uno sobre una hamaca, duermen* EMANU, TOPÉ *y* FODER. *En sus manos tienen su instrumento*[144] *respectivo. Ruidos en el «coche 2».)*

VOZ DE HOMBRE.—*(«Coche 2».)*
¿Pero es que no se pueden estar quietos?
VOZ DE TIOSIDO.—Perdone[145]: no lo hacemos aposta[146].
VOZ DE LASCA.—Es tan pequeño esto.

(Risita. Al poco tiempo entra DILA *por la derecha. Se dirige a* EMANU. *Le despierta.)*

EMANU.—*(Sobresaltado)*[147].
¿Ya te han dejado en paz?
DILA.—Sí.

(TOPÉ *y* FODER *se despiertan.)*

VOZ DE TOPÉ.—¿Te han molestado mucho?
DILA.—No, lo normal.

---

143 Esta indicación no aparece en P. A.
144 P. A.: ...*«el instrumento...»*
145 P. A. y C. B.: «Perdóneme:»
146 C. B.: «a posta.»
147 La palabra *«sobresaltado»* no aparece en ediciones P. A. y C. B.

EMANU.—Si no fuera por ti, a estas horas estaríamos durmiendo a la sombra. Eres nuestra heroína de cine mudo.

(Entusiasta)[148].

DILA.—De buena te has librado. Con lo rabiosos que están.

TOPÉ.—¿Qué nos van a hacer?

DILA.—Es a Emanu a quien buscan. Eso dijeron.

TOPÉ.—Claro, como que siempre eres tú el que te señalas.

EMANU.—Pues vaya gracia.

DILA.—Incluso han prometido que le darán mucho dinero al que les diga dónde te escondes.

EMANU.—¿Sí?

DILA.—Como lo oyes[149]. Yo me he quedado con ganas de denunciarte, así me hubiera podido comprar paños higiénicos.

EMANU.—¿Y por qué no lo has hecho?

DILA.—*(Sorprendida.)*
¡Ah! Pues eso sí que no lo sé.

TOPÉ.—Tú nunca sabes nada.

DILA.—Yo creo que te debes ir. Pueden volver[150].

EMANU.—Con todas estas historias, nunca vamos a estar tranquilos.

(MILOS, *con aire feroz, mira hacia el grupo, asomado a la ventanilla del «coche A». El grupo no se da cuenta de su presencia.* MILOS, *mientras mira, bebe, sorbiendo —haciendo mucho ruido— una taza gigantesca de caldo que debe de estar muy caliente ya que sopla constantemente.)*

---

[148] Esta frase no aparece en P. A.
C. B.: «Dila eres nuestra heroína de cine mudo.»

[149] P. A.: «Como lo oyes. *(Transición.)* Yo me he quedado con ganas de denunciarte; así me habría podido comprar la mar de cosas.»
C. B. corresponde a P. A. con la excepción de «me hubiera podido». Nuestra edición corresponde a C. G. y a la versión francesa 10/18.

[150] P. A. y C. B.: «pueden venir».

TOPÉ.—¿Y dónde vamos a podernos meter?
DILA.—Esconderse por aquí es bien sencillo[151].
TOPÉ.—Mira que la han tomado contigo[152].
DILA.—Eso sí que no me lo explico. Tú que no eres capaz de matar una mosca[153].
EMANU.—Sí que soy capaz. A veces lo hago[154].
DILA.—*(Asombrada.)*
¿Que eres capaz?
EMANU.—*(Avergonzado.)*
Bueno, de vez en cuando[155].
DILA.—¿Y siempre matas moscas?
EMANU.—No, a veces he matado también otras cosas[156].
DILA.—¿Personas?
EMANU.—Sí, pero de esto muy poco. Sólo cuando veo que la persona está bien fastidiada: entonces para que no sufra más voy y la mato.
DILA.—*(Entusiasmada.)*
¡Vaya tío! Y lo callado que lo tenías. ¡Qué habilidoso! Lo mismo matas una persona que una mosca.
EMANU.—No es que sea habilidoso, es sólo que tengo esta costumbre.
DILA.—¿Y qué haces con los cadáveres?
EMANU.—Los entierro.
DILA.—¿Tú solo?
EMANU.—Sí, yo solo. Mi padre me enseñó cuando era pequeño que más vale hacer las cosas solo que mal acompañado.
DILA.—Eres extraordinario.
EMANU.—Luego lo que hago es ir cuando salen los fuego fatuos, que son tan bonitos, que bailan para los gusanos de luz enamorados de lagartijas locas[157].

---

151 C. G.: «Esconderse por aquí, es bien sencillo.»
152 P. A.: «TOPÉ.—*(A* EMANU.) Mira que...»
153 P. A. y C. B.: «matar ni una mosca».
154 En P. A. y C. B. falta la frase «A veces lo hago».
155 P. A.: «de cuando en cuando».
156 P. A.: «también personas».
157 P. A.: falta la última parte de la frase, «que bailan... locas».

DILA.—¿Por la noche?

EMANU.—Sí, por la noche. Además, el día de los difuntos les llevo unos geranios y les toco la trompeta.

DILA.—¡Qué bueno eres para con los muertos!

EMANU.—*(Modesto.)*
¡Bah! No tiene importancia.

DILA.—*(De pronto.)*
Pues a lo mejor es por eso por lo que te buscan los guardias.

EMANU.—No. Por lo que me buscan es por lo de tocar la trompeta. Y sabes que eso de tocar para los pobres les pone furiosos.

TOPÉ.—Yo creo que nos debemos ir a esconder[158] cuanto antes.

DILA.—Tienes razón, Topé.

(Se levantan.)

EMANU Y TOPÉ.—Hasta luego, Dila.

DILA.—Hasta luego.

(FODER, TOPÉ *y* EMANU *salen por la izquierda. Un tiempo.* DILA *va hacia el «coche 1», introduce la cabeza entre las cortinas.)*

DILA.—Bésame, señor.

(Beso.)

Gracias.

(MILOS, *más colérico que nunca, sale del «coche A». Se dirige hacia* DILA, *la agarra de los pelos y la tira al suelo.)*

MILOS.—*(Violentamente.)*
¿Qué hacías, puta?[159]

(Silencio.)

¿Creías que no te veía? ¿No es eso?

(Silencio.)

---

[158] C. G.: «debemos de ir a esconder»

[159] P. A.: «¿Qué hacías?»

Guarra, más que guarra. Sólo sueñas con hacer cochinadas con el primero que se presenta[160]. Ponte de pie inmediatamente.

(DILA *se incorpora.)*

La mano.

(DILA *extiende la mano.* MILOS *la golpea con una cadena*[161]. *Se oyen risas: provienen de los coches)*[162].

Otra vez.

(DILA *extiende la mano.* MILOS *la golpea. Se oyen risas.)*

Y sabes lo celoso que soy. Pídeme perdón.

DILA.—Perdón.

MILOS.—De rodillas y mejor dicho.

DILA.—*(De rodillas.)*
¡Perdón!

(Se oyen risas desde los coches.)

MILOS.—Que no vuelva a suceder. Vámonos.

(MILOS *coge amorosamente a* DILA *por los hombros*[163]. *Juntos entran en el «coche A». En el «coche 2» hay una cierta agitación: ruidos varios.)*

VOZ DE TIOSIDO.—*(Que está dentro del «coche 2».)*
Ya es la hora, Lasca.

VOZ DE LASCA.—*(Que está dentro del «coche 2»)*[164].
Déjame un minuto más.

VOZ DE TIOSIDO.—Ni un minuto, ni medio. ¿No me oyes?

---

[160] No aparecen estas dos frases en P. A.: «Guarra, más que guarra. Sólo sueñas con hacer cochinadas con el primero que se presenta.»

[161] P. A.: «Milos la azota.»

[162] P. A. y C. B.: *«(Risas. Provienen de los coches.)»*

[163] P. A.: («MILOS *coge amorosamente por el hombro a* DILA...»*)* C. B.: «MILOS *besa violentamente a* DILA.»

[164] P. A. y C. B.: *«Que está dentro del coche 2 también.»*

VOZ DE LASCA.—Sólo un sueñecito.

(TIOSIDO *sale del «coche 2» vestido con uniforme de guardia. Inmediatamente hace salir a* LASCA, *que también está vestida de guardia. Los dos llevan un silbato colgado del cuello.* LASCA *está medio dormida.)*

TIOSIDO.—*(Haciendo gimnasia. Brazos en cruz con flexión de piernas.)*

Uno, dos, uno, dos, uno, dos, uno, dos...

(De pronto se da cuenta de que LASCA *no hace gimnasia. Violentamente.)*

Pero qué haces. Ya estás haciendo el movimiento.

(LASCA, *de mala gana, hace el mismo movimiento que* TIOSIDO. *Uno, dos, uno, dos, uno, dos. Entra en escena* TOPÉ, *por la derecha. Observa a* LASCA *y a* TIOSIDO.)

LASCA.—Vamos a dejarlo ya, estoy muy cansada.

TIOSIDO.—*(Colérico)*[165].

Eres tú muy señoritinga. ¡Segundo movimiento!

(Flexión de tronco con los brazos estirados hasta tocar los pies)[166].

Uno, dos, uno, dos, uno, dos...

(LASCA *no llega a tocar con la punta de los dedos los pies.* TIOSIDO, *de pronto, se da cuenta.)*

¿Pero cómo? ¿No llegas a tocar los pies? Hazlo, que yo te vea[167].

*(*TIOSIDO *observa lo que hace* LASCA *mientras le marca los tiempos.)*

Uno, dos, uno, dos, uno, dos.

(LASCA *no llega.* TIOSIDO, *colérico.)*

---

[165] P. A.: *«(En cólera.)»*
[166] P. A.: ...*«hasta que toquen los pies.)»*
[167] C. G.: «Hazlo, que yo te veo.»

¿Es que la señorita tiene riñones de plomo?
Uno, dos, uno, dos, uno, dos. Más energía. Uno, dos, uno, dos, uno, dos[168].

(TOPÉ *se acerca a* TIOSIDO *y* LASCA.)

TOPÉ.—*(A* TIOSIDO.)
¿Es usted guardia, señor?

(MILOS *se asoma a la ventana del «coche A» y mira con monóculo las escenas. Parece muy satisfecho)*[169].

TIOSIDO.—A su servicio.
TOPÉ.—¿Busca usted a Emanu?

(Al nombre de EMANU, TIOSIDO *y* LASCA *se sobresaltan.)*

TIOSIDO.—Naturalmente.
TOPÉ.—¿Es cierto que darán una recompensa a quien les informe dónde se esconde?
TIOSIDO.—Sí.
TOPÉ.—Yo les llevaré a su refugio[170]. Está con su amigo Foder.
TIOSIDO.—¿Pero distinguiremos a Emanu de su amigo Foder?[171]
TOPÉ.—Muy sencillo, cuando llegue besaré a uno de los dos: ése será Emanu.
TIOSIDO.—Muy bien. Venga con nosotros.
LASCA.—¿Preparados?
TIOSIDO.—Preparados.

(Tanto LASCA *como* TIOSIDO *se ponen en la posición de sprinter.)*

LASCA.—A la una, a las dos, y a las...

---

[168] «Más energía. Uno, dos, uno, dos, uno, dos.» No aparece en ediciones P. A. y C. B.
[169] En P. A. y C. B. esta instrucción aparece después de «TIOSIDO.– A su servicio.»
[170] P. A.: «adonde se esconde».
[171] P. A.: ...«de su amigo mudo?»

(LASCA *no llega a decir tres. Del «coche 1» ha aparecido un brazo con una pistola en la mano. Cuando* LASCA *debería decir tres la pistola lanza un pistoletazo al aire.* LASCA *y* TIOSIDO *salen a gran velocidad por la izquierda.* TOPÉ, *por el momento, queda desconcertado, pero inmediatamente, y también a gran velocidad, se lanza tras ellos.* MILOS *sigue mirando por el monóculo*[172] *en dirección a los tres, ya lejos del escenario. Con toda calma deja el monóculo y observa con unos pequeños prismáticos de teatro, muy pequeños. Luego con unos prismáticos de campaña y, por fin, con un anteojo de marino que poco a poco va alargando. Para terminar hace múltiples esfuerzos para ver a los tres.* MILOS *entra dentro del «coche A». Dentro del «coche 3» se enciende una vela, se ve el resplandor a través de las cortinas.)*

VOZ DE HOMBRE.—*(«Coche 3».)*
Nos ha olvidado otra vez.
VOZ DE MUJER.—No cabe duda. Con la hora que es ya.
VOZ DE HOMBRE.—Pues yo estoy que no resisto más.
VOZ DE MUJER.—A mí me pasa lo mismo.
VOZ DE HOMBRE.—¿Le llamo?
VOZ DE MUJER.—Déjalo, ya sabes cómo es de susceptible. Si se da cuenta de que se ha olvidado va a coger una rabieta.
VOZ DE HOMBRE.—Pues es que yo, francamente, ya no puedo más. Llamo.

(Bocinazo del «coche 3». Pausa. Del «coche A» sale MILOS *vestido impecablemente. Va al «coche 3».)*

MILOS.—¿Qué desean los señores?
VOZ DE HOMBRE.—Es que... ¿sabe usted la hora que es?
MILOS.—*(Saca un gigantesco reloj despertador de su bolsillo y lo mira horrorizado.)*

---

[172] P. A. y C. B.: *«con el monóculo»*

¿Pero cómo es posible? Discúlpenme los señores, ha sido un olvido lamentable. No pueden imaginarse cuánto lo siento. En seguida vuelvo.

(MILOS *va al «coche A». Entra dentro. Se oyen murmullos: riñas en voz baja entre* MILOS *y* DILA. *Al poco tiempo sale* DILA *con un orinal gigantesco. Va en combinación, acaba, sin duda, de salir de la cama y tiene mucho sueño.* DILA *se dirige al «coche 3». Introduce el orinal entre las cortinas)*[173].

DILA.—Buenas noches, señores. Tengan.

(Al poco tiempo se oye el ruido adecuado. Sollozan los dos de satisfacción. MILOS *sale del «coche A» con un diminuto vaso de agua sobre una bandeja. Los señores del «coche 3» han terminado pasando el «orinal»*[174] *entre las cortinas.* DILA *lo recoge.)*

DILA.—Muchas gracias, señores.

(Inmediatamente después y al mismo tiempo.
a) DILA *lleva su orinal al «coche 2».*
b) MILOS *da el vaso de agua al señor del «coche 5»:* «Buenas noches señor, su agua.»)

DILA.—Buenas noches, señor. Tenga.
VOZ DE HOMBRE.—*(«Coche 2».)*
¿Pero para qué quiero yo esto?[175]
DILA.—Es su hora, señor.
VOZ DE HOMBRE.—Le digo que no quiero mear[176].

(Forcejean. DILA *intenta introducir el «orinal». Tras dura resistencia,* DILA *vence. El señor del «coche 2» gruñe, pero se sirve del «orinal», aunque*

---

[173] Errata en C. G. *«Introduce el original...»* P. A. *«Introduce el recipiente».* Con la excepción de la primera referencia al *«orinal gigantesco»,* P. A. sustituye la palabra «recipiente» por orinal en esta escena.
[174] P. A.: *«pasan el "recipiente"...»*
[175] P. A.: «Mas ¿para qué quiero yo esto?»
[176] P. A.: «...no quiero nada».

contrariado. Se oye perfectamente caer cuatro gotas y un chorrito pequeño)[177].

DILA.—Gracias, señor.

MILOS.—*(Furioso —acaba de recoger el vaso de agua del «coche 5»— a* DILA.)

¿Pero otra vez te has equivocado? Te he dicho mil veces que no es a ése a quien se lo tienes que dar, sino a éste.

(Señala el «coche 4».)

¿Me oyes? ¿Cuántas veces te lo tengo que decir?

DILA.—Discúlpame, no lo había hecho aposta[178].

MILOS.—*(Imitándola.)*

No lo había hecho aposta. ¿Te crees que es una buena excusa?

(DILA *introduce el orinal en el «coche 4»)*[179].

DILA.—Tenga, señor.

(Se sirve del orinal: ruido. Devuelve el orinal)[180].

VOZ DE HOMBRE.—*(«Coche 4».)*

Espere, espere, otra vez.

(Se sirve de nuevo: ruido. Le devuelve a DILA.*)*

VOZ DE HOMBRE.—*(«Coche 4».)*

Espere, espere, otra vez[181].

VOZ DE HOMBRE.—*(«Coche 4».)*

Gracias.

DILA.—*(A* MILOS.)

¿Me puedo ir a la cama, que tengo mucho sueño?

---

177 P. A.: *«El señor del coche 2 gruñe, pero se sirve del "vaso": se oye perfectamente.)»*

178 C. B. y C. G.: «a posta.»

179 P. A.: *«(*DILA *introduce el "recipiente" entre las cortinas del coche A.»)*

C. B. *«(*DILA *introduce el orinal entre las cortinas del "coche 4".)»*

180 P. A.: *«Lo devuelve.)»*

181 No aparece por segunda vez en ediciones P. A. y C. B.

MILOS.—Sí, vamos. Yo también tengo sueño. Pero antes tira eso.

(DILA *va entre bastidores. Se oye cómo tira el contenido del orinal. Vuelve con el orinal en la mano, siempre como entre sueños*[182]. MILOS *coge a* DILA *amorosamente por el hombro. Juntos entran al «coche A». Silencio. Por la derecha entra* EMANU *y* FODER. *Cruzan la escena de derecha a izquierda. Miran por todas partes. Buscan a* TOPÉ)[183].

EMANU.—¡To-pé! ¡To-pé!

(Más tarde.)

¿Dónde te has metido?

(Más tarde.)

To-pé, To-pé.

(FODER *levanta las cortinas del «coche 3». Se oye el grito horrorizado de una mujer. [La han sorprendido desnuda]*[184]. *Gestos de* FODER *de divertirse. Continúan hacia la izquierda. Salen por la izquierda. Se siguen oyendo a lo lejos los gritos de* EMANU: *«To-pé, To-pé.» Larga pausa. Por la derecha entran* LASCA *y* TIOSIDO. *Llevan una bicicleta: la llevan del manillar. Cruzan el escenario a gran velocidad de derecha a izquierda. Cuando van a salir por la izquierda se paran. Esperan un momento mirando hacia la derecha. Aparece* TOPÉ *cansadísimo. Se ve que intenta, sin lograrlo, seguir a* LASCA *y* TIOSIDO *de cerca.)*

LASCA.—*(A* TOPÉ.)
¿Pero cuándo vamos a encontrar a ese Emanu de marras?

---

[182] En P. A. y C. B. no aparece el segmento «Yo también tengo sueño... *como entre sueños.»* sino «Sí, vamos. *(*MILOS *coge a* DILA...*)»*

[183] No aparece la indicación *«Buscan a Topé»* en P. A. y C. B.

[184] No aparece este detalle en P. A. y C. B.

(MILOS *con satisfacción —a través de la ventanilla del «coche A»— contempla la escena con un monóculo.)*

TOPÉ.—Yo creía que estaba allí.

(Señala un lugar detrás de los coches.)

Vamos a ver si dando otra vuelta logramos encontrarle.

TIOSIDO Y LASCA.—¿Otra vuelta?
TOPÉ.—Sí, otra.
TIOSIDO.—Pues estamos buenos.
LASCA.—Si sólo es una...
TIOSIDO.—Cumplamos con nuestra obligación.

(Inmediatamente después salen por la izquierda. TOPÉ, *cansado, les sigue de lejos.* MILOS *se acerca al «coche 2». Cuchichea con el hombre que está dentro del coche. Ríen descaradamente.* MILOS *va al «coche A», saca unos prismáticos. Comprueba enfocándolos hacia el público que funcionan bien. Vuelve al «coche 2». Cuchicheos, risas. Le da al hombre del «coche 2» los prismáticos a través de la cortina.)*

VOZ DE HOMBRE.—*(«Coche 4».)*
Quiero otros prismáticos para mí.

(MILOS *va al «coche 4». Cuchicheos con el hombre del interior. Risas.* MILOS *va al «coche A». Saca otros prismáticos. Comprueba su funcionamiento enfocándolos hacia el público. Va al «coche 4». Cuchicheos. Risas. Entrega los prismáticos al hombre que está dentro del coche. De pronto* MILOS *mira lleno de satisfacción hacia la derecha.)*

MILOS.—*(Al hombre del «coche 4», después al hombre del «coche 2».)*
Ya vienen.

(Risitas. MILOS *se esconde detrás del «coche A». Sólo se ve su cabeza. De entre las cortinas de los*

«coches 2 y 4» aparecen sendos prismáticos. Risas. Entran en escena momentos después EMANU *y* FODER. *Cruzan la escena de derecha a izquierda. Los prismáticos siguen el movimiento.)*

EMANU.—To-pé, To-pé, To-pé.

(Salen por la izquierda. A lo lejos se oye aún la voz de EMANU: «To-pé.» *Silencio. En cuanto salen de escena se oyen de nuevo risas. Provienen de los «coches 2 y 4».* MILOS *ríe escandalosamente.* MILOS *mira hacia la derecha. Gran satisfacción. Va a los «coches 2 y 4».)*

MILOS.—Y ahora los otros.

(MILOS *se esconde tras el «coche A». Los prismáticos —entre las cortinas— están enfocados hacia la derecha. Entran* LASCA *y* TIOSIDO *a gran velocidad llevando una bicicleta del manillar. Cruzan el escenario de derecha a izquierda. Momentos después de que* LASCA *y* TIOSIDO *han desaparecido por la izquierda, entra por la derecha* TOPÉ, *hecho polvo. Se ve que intenta alcanzar a* LASCA *y* TIOSIDO. *Cruza el escenario de derecha a izquierda y sale por la izquierda. Los prismáticos de los «coches 2 y 4» han seguido las carreras de* LASCA, TIOSIDO *y* TOPÉ. *Risas.* MILOS *ríe escandalosamente.)*

MILOS.—*(Se acerca al «coche 2» y dice al hombre que está dentro.)*
Son como niños.

VOZ DE HOMBRE.—*(«Coche 2».)*
Igual, igualito.

(Risas.)

MILOS.—*(Hablando fuerte, dirigiéndose a todos.)*
Pero les habéis visto bien.

(Risas.)

Era cómico verlos.

(MILOS *ríe. Ríen también todos los que están den-*

tro de los coches. Durante medio minuto no se oye otra cosa que las risas de todos. De pronto DILA *se asoma a la ventanilla del «coche A». Está irritadísima.)*

DILA.—Ya estáis de nuevo riéndoos como tontos.

(Silencio sepulcral. MILOS *intenta esconderse.)*

DILA.—¿Qué es lo que os hacía tanto reír, imbéciles?[185]

(Leves cuchicheos.)

¿Os ha comido la lengua el gato?

MILOS.—Déjales, Dila, no les riñas. Los pobres están durmiendo y no te oirán.

(Desde que MILOS *ha comenzado a hablar, el hombre que está dentro del «coche 2» ha sacado los prismáticos a través de las cortinas; los dirige descaradamente hacia* DILA.)

DILA.—¿Durmiendo? ¿Te crees que me chupo el dedo? Así es que hace un minuto reían como bobos y ahora, de pronto ya están dormidos. ¿Crees que yo soy tonta?[186]

MILOS.—No se reían. Estaban soñando. Ya sabes que los pobres tienen tantas pesadillas que se pasan las noches en un grito.

DILA.—Pero si lo que hacían era reír.

MILOS.—Muchas veces no se puede saber. Cuántas veces pienso que se quejan y resulta que ríen. Y cuántas veces también ha ocurrido lo contrario. Los pobres sufren tanto.

(DILA, *de pronto, se da cuenta de que hay un prismático en el «coche 2» que la observa.)*

DILA.—*(Indignada, al hombre del «coche 2».)* ¿Cómo te atreves a mirarme con los prismáticos?

---

[185] P. A.: «zampatortas?»
[186] P. A. y C. B.: «¿Crees que soy tonta?»

(Los prismáticos desaparecen. Al mismo tiempo aparecen otros prismáticos entre las cortinas del «coche 4» que observan descaradamente a DILA.)

MILOS.—¿Pero qué prismáticos?
DILA.—¿Me vas a decir que no los has visto?
MILOS.—Pero si el pobre no hace otra cosa que dormir.

DILA.—*(De pronto se da cuenta de que entre las cortinas del «coche 4» hay otros prismáticos que la observan.)*

¿Ahora tú? ¿Ahora sacas tú tus prismáticos?

(Los prismáticos desaparecen)[187].

MILOS.—Déjales, Dila. Si les sigues riñendo así se van a poner nerviosos. Ya sabes lo sensibles que son.
DILA.—¿Te atreves a defenderlos? Tú, precisamente tú, el más culpable.
MILOS.—Dila, cálmate, vamos a la cama.
DILA.—Mañana ya te arreglaré las cuentas a ti.
MILOS.—No, eso no, no me castigues.
DILA.—Pues claro que te castigaré. Te lo mereces.
MILOS.—¡Cómo te portas conmigo!
DILA.—Demasiado buena soy contigo.

(MILOS *y* DILA *entran en el «coche A». Durante esta última escena, tímidamente, han aparecido y desaparecido —alternativamente— los prismáticos entre las cortinas de los «coches 2 y 4». Aparecen de nuevo los prismáticos cuando* DILA *va a cerrar la puerta del «coche A»*[188]. *Silencio. Desaparecen los prismáticos.)*

VOZ DE MUJER.—*(«Coche 3».)*
Qué cruel es con nosotros.

---

[187] P. A.: «¿Ahora tú? *(Los prismáticos desaparecen.)* ¿Tú también haciendo el imbécil?»
C. B. corresponde a P. A. pero pone «gilipollas» en lugar de «imbécil.»

[188] No aparece esta frase en P. A. y C. B.

VOZ DE HOMBRE.—*(«Coche 3».)*
Va a llegar un día en que no nos va a dejar ni respirar.
VOZ DE MUJER.—*(«Coche 3».)*
¿Qué le hemos hecho para que nos trate así?
VOZ DE HOMBRE.—*(«Coche 3».)*
Con lo buenos que hemos sido siempre con ella.
VOZ DE MUJER.—*(«Coche 3».)*
Cuando se entere de lo que hemos hecho, entonces sí que va a ser ella.
VOZ DE HOMBRE.—*(«Coche 3».)*
Va a ser terrible[189].
VOZ DE MUJER.—*(«Coche 3».)*
La ha tomado con nosotros.
VOZ DE HOMBRE.—*(«Coche 3».)*
Nos tiene tirria; se ve a la legua.

(Silencio. Entran en escena por la derecha EMANU *y* FODER. *Van hacia la izquierda.* EMANU *grita:* «To-pé, To-pé.» FODER *a mitad del escenario hace gestos a* EMANU: *le pide sentarse sobre las hamacas, está cansado.* EMANU *y* FODER *se recuestan sobre las hamacas. Se quedan dormidos. Quejidos. Agitación en el interior del «coche 3»)*[190].

VOZ DE HOMBRE.—*(«Coche 1».)*
No toman nunca precauciones.

(Silencio.)

VOZ DE HOMBRE.—*(«Coche 2».)*
Esas cosas se pueden evitar.

(Silencio.)

---

[189] P. A. y C. B.: «Va a ser terrible. Y ya no falta nada para que nazca.»

[190] P. A. y C. B.: *«Agitación en el interior del "coche 3".) Después, la agitación se extiende a todos los coches.)*
VOZ DE HOMBRE.—*(Coche 1.)* Esas cosas se pueden evitar.
VOZ DE HOMBRE.—*(Coche 2.)* No toman nunca precauciones.
VOZ DE HOMBRE.—*(Coche 4.)* Es muy fácil decir que se puede evitar.»
La indicación «*(Silencio.)*» falta entre los parlamentos.

VOZ DE MUJER.—*(«Coche 3».)*
Es muy fácil decir que se puede evitar.

(Silencio.)

VOZ DE HOMBRE.—*(«Coche 3».)*
Se dice fácilmente, ya...

(Silencio.)

VOZ DE HOMBRE.—*(«Coche 4».)*
Les falta experiencia.

(Silencio.)

VOZ DE HOMBRE.—*(«Coche 5».)*
Son como niños.

(Cada uno de los hombres que están en los «coches 1, 3, 4, 5» da un razonamiento sobre el caso. Todos hablan al mismo tiempo: es imposible entenderles. Galimatías. De vez en cuando se distinguen algunas frases: «Yo creo que...», «Es un caso semejante...», «Quizás se trate de...», «Más vale eso que...», «Por eso, si los medios...», «Yo digo que...». De pronto:)[191]

VOZ DE HOMBRE.—*(«Coche 3».)*
Silencio. Callaros[192].

(Silencio. Entre las cortinas de los «coches 2 y 4» aparecen sendos prismáticos dirigidos hacia el «coche 3». Bocinazo del «coche 3». Del «coche A» sale DILA *con un caldero de agua caliente y unas toallas. De muy mal humor* DILA *pasa el caldero y las toallas entre las cortinas del «coche 3». Ruidos diversos «coche 3». Por fin, se oye el llanto de un niño recién nacido. Cuchicheos en los demás coches. Risitas.)*

VOZ DE HOMBRE.—*(«Coche 3», entusiasmado.)*
¿Qué es?[193]

---

[191] P. A. y C. B.: *(«...Galimatías. De pronto:»)*
[192] P. A.: «Callaos.»
[193] P. A. y C. B.: VOZ DE HOMBRE.—*(Coche 3. Entusiasmado.)* Es niño.

DILA.—*(Enfadada.)*
Un niño.
VOZ DE HOMBRE.—*(«Coche 3».) (Alegre.)*
¡Un niño! ¡Era lo que yo quería! Con lo difícil que es colocar a las niñas. ¡Un niño!

(Loco de alegría[194] *Cuchicheos dentro de los coches.)*

DILA.—¡Pero que sea la última vez!
VOZ DE HOMBRE.—*(«Coche 3».)*
No lo hicimos aposta. Tuvimos cuidado.
DILA.—¡Tuvimos cuidado!... y en cuanto os pierdo de vista ya estáis el uno encima del otro. Que sea la última vez.
VOZ DE HOMBRE.—*(«Coche 3».)*
Sí, se lo prometo.

(DILA *vuelve al «coche A». Desaparece. Cuchicheos, risitas. De vez en cuando*[195] *se oye el llanto escandaloso del recién nacido.* EMANU *se despierta. Despierta a su vez a* FODER.)

EMANU.—Y ese Topé aún sin aparecer. ¿Dónde se habrá metido? *(Mímica de* FODER *expresando sus dudas)*[196]. Me empieza a preocupar.

(FODER *indica a* EMANU *que sería necesario tocar sus instrumentos.)*

EMANU.—Es cierto: así se dará cuenta de que estamos aquí.

*(*EMANU *toca la trompeta.* FODER *el saxofón. A los pocos momentos* LASCA *y* TIOSIDO *cruzan la escena*

DILA.—*(Enfadada.)* ¿Niño?

194 P. A. y C. B.: «DILA.—*(Con maldad.)* Tendrá que hacer el servicio militar. Las niñas no lo hacen. *(Cuchicheos dentro de los coches.)*»

195 P. A.: «De cuando en cuando...»

196 No aparece esta indicación en P. A. y C. B.

de derecha a izquierda a toda velocidad. Llevan una bicicleta por el manillar. Salen por la izquierda. EMANU *y* FODER *continúan tocando,* LASCA *se vuelve hacia la derecha y mira a lo lejos, con gran dificultad; se coloca las manos de visera para proteger los ojos.)*

LASCA.—*(A* TIOSIDO.)
Ya no puede más.

TIOSIDO.—No importa. Hay que seguir.

(Atraviesan la escena y salen por la izquierda. FODER *y* EMANU *siguen tocando. Poco después* LASCA *y* TIOSIDO *vuelven y dicen —con gestos— a* FODER *y* EMANU: *Tocad más flojo, no nos destrocéis los oídos con vuestro jaleo.* FODER *y* EMANU *tocan más flojo.* LASCA *y* TIOSIDO *salen por la izquierda a toda velocidad.* EMANU *y* FODER *continúan tocando*[197]*. Por fin dejan de tocar.)*

VOZ DE HOMBRE.—*(«Coche 2».)*
Pues menos mal que se han callado ya.

VOZ DE HOMBRE.—*(«Coche 4».)*
Pues vaya con la musiquita de marras.

(EMANU *y* FODER *comprueban desolados que* TOPÉ *no viene.)*

EMANU.—Nada, que no viene. Está visto que se ha perdido.

(FODER *indica por señas a* EMANU *que sería conveniente consultar a* DILA.)

EMANU.—Estará durmiendo.

*(*FODER *insiste.)*

Bueno, voy a avisarla.

(EMANU *llama a la puerta del «coche A». Aparece* MILOS *en la ventanilla.)*

---

[197] No aparece el segmento «...LASCA *se vuelve hacia la derecha...* EMANU *y* FODER *continúan tocando.»* en las ediciones P. A. y C. B.

MILOS.—¿Desean los señores un coche para pasar la noche?
EMANU.—No. Lo que quiero es hablar con Dila.
MILOS.—Los señores quieren una muchacha. ¿Prefieren Dila o una morena?[198]
EMANU.—Le digo que sólo quiero hablar con Dila.
MILOS.—*(Siempre respetuosamente.)*
Son los señores quienes mandan. Llamo inmediatamente a Dila.

(MILOS *se mete en el interior del «coche A».)*

VOZ DE MILOS.—Pero mujer, no te vistas. Debes ir desnuda.

(Tras breve pausa.)

Eso es; siempre igual de cabezota.

(DILA *sale del «coche».)*

EMANU.—Dila.
DILA.—¿Qué queréis?
EMANU.—Buscamos a Topé. ¿Sabes dónde está?
DILA.—No lo he visto. Pero ¿no estaba con vosotros?
EMANU.—Desapareció[199].
DILA.—Pues yo tampoco lo he visto.
EMANU.—Estamos buenos[200]: los guardias buscándonos y Topé no está con nosotros.
DILA.—¡Qué lata!
EMANU.—Dila, ¿qué crees que me harán los guardias?
DILA.—Seguramente te matarán. Ya sabes que no se andan con chiquitas.
EMANU.—Si estuviera Topé me encontraría menos solo.
DILA.—Con él sería diferente.
EMANU.—Voy a tener mucho miedo.

---

[198] P. A. y C. B.: «una rubia?»
[199] P. A.: «Sí, pero desapareció.»
[200] P. A.: «Pues estamos buenos:...»

DILA.—La culpa es tuya; bien sabías que si tocabas la trompeta para que los pobres bailaran[201] un buen día te la cargarías.

(Pausa.)

Eres el sonámbulo que ignora el sueño y el camino[202].

EMANU.—Pero yo no lo hice con mala intención.

DILA.—Te has puesto demasiado pesado. Esto, un día o dos[203], pero no para siempre.

EMANU.—Sí, ya sé que soy un mal ejemplo.

DILA.—Imagínate que todo el mundo hiciera lo mismo[204].

EMANU.—Tienes razón; me siento muy triste, como si me rodearan saltamontes de hierro, azucenas de lija, soles negros y una muralla larga y fea como una serpiente boa[205].

DILA.—Y lo de los jerseys y lo de las margaritas... Esas cosas se terminan por saber.

EMANU.—Pero ya sabes que lo hago para ser bueno.

(De carretilla.)

Porque siendo bueno se siente una gran alegría...

(Duda.)

que... se deriva... que proviene... de la tranqui... de la formalidad... que...

(Tono normal.)

Se me ha olvidado, Dila.

DILA.—*(Desagradablemente sorprendida.)* ¿Que se te ha olvidado?

---

[201] P. A.: «bailen»

[202] Esta frase no aparace en P. A.

[203] P. A.: «Eso está bien para un día o dos...»

[204] P. A.: «Y tan talo. Imagínate...»

[205] P. A. pone sólo: «Tienes razón: sería muy feo.»

EMANU.—Sí, Dila, se me ha olvidado. No tengo la culpa.

(De pronto, al fondo y a la derecha, la multitud grita.)

VOCES:
—Mú-si-ca, mú-si-ca.
—¿Qué hacen esos músicos?
—Estamos hartos de que nos tomen el pelo.
—Mú-si-ca.

EMANU.—¿Los oyes?

(Pausa.)

¡Cómo están de furiosos!

DILA.—Claro, la culpa es tuya; les prometes ir y no vas.

EMANU.—Pero no puedo. Si voy, los guardias me cogen.

DILA.—Si quieres, yo misma les digo que se callen.

EMANU.—Sí, Dila, ve tú.

(DILA *sale por la derecha. Dos cosas ocurren al mismo tiempo:*
a) *Al fondo, a la derecha, silban a* DILA)[206].

VOZ DE DILA.—Callaos un momento.

(Silencio.)

Los músicos no pueden venir. Los guardias les persiguen.

(Silbidos. Bronca.)

Callaos.

(Silencio. DILA, *violentamente)*[207].

Largaos de aquí antes de que pierda la paciencia.

(Murmullos.)

---

[206] En P. A. y C. B. no aparece esta instrucción; P. A. pone «(Silencio.)» y C. B. pone «Silbidos. Gritos.».
[207] P. A.: *«(Silencio. Violentamente.)»*

Largaos de una vez ¿me habéis oído?[208]. Y sin protestar.

(Silencio.

b) TIOSIDO *y* LASCA *entran en escena por la derecha, van muy de prisa y sujetan la bicicleta por el manillar. Se paran en el centro del escenario. Miran al fondo, a la derecha.)*

LASCA.—Ya no puede dar un paso más. Está de rodillas.

TIOSIDO.—*(Contento.)*

Le llevamos ya una vuelta.

(LASCA *y* TIOSIDO *salen por la izquierda siempre a toda velocidad*[209]. DILA *entra en escena por la derecha.)*

DILA.—Parece que se han calmado.

EMANU.—Es que tú sabes decirles las cosas.

DILA.—Tú lo que tienes que hacer es no faltar más.

EMANU.—Te lo prometo, Dila.

DILA.—De tus promesas no me fío ni un pelo.

EMANU.—Todos la habéis tomado conmigo.

DILA.—Eres como las mañanitas de flores y cantas como el mes de abril[210]. Pero haces las cosas sin reflexionar[211]. ¿Crees que alguien con una pizca de experiencia se hubiera comportado como tú?[212]

EMANU.—Es que yo soy así. Pero si quieres construyo

---

[208] Errata en C. G.: «(me habéis oído).»

[209] En P. A. y C. B. no aparecen Tiosido y Lasca; falta todo el segmento:

«*b)* TIOSIDO y LASCA ...siempre a toda velocidad.»

[210] Esta frase no aparece en P. A. Errata en C. B. «...cantas como el mes te abril.»

[211] P. A.: «Pero si es que haces las cosas sin reflexionar: como un niño.»

C. B.: «Pero haces las cosas sin reflexionar: como un niño.»

[212] «¿Crees que una persona con un mínimo de seso en la cabeza se habría metido en este lío?»

En C. B. no aparece esta frase.

una espiral en el fondo del abismo y allí me quedo acompañado de arañas y de siemprevivas[213].

DILA—Eres tan débil[214].

EMANU.—Todos me reñís.

DILA.—¿Y qué otra cosa mereces? Además, por si fuera poco, te has olvidado de eso de para qué sirve ser bueno.

EMANU.—Ya verás cómo me acuerdo.

DILA.—Todo se te olvida. Antes transformabas una motocicleta en mariposa y del depósito de gasolina surgían cocodrilos, ahora sólo sabes tocar la trompeta[215].

(Entra por la derecha TOPÉ. *Está agotado, se recuesta sobre una de las hamacas.)*

EMANU.—¿Pero Topé, dónde te habías metido?

TOPÉ.—¿Y vosotros?

EMANU.—¿Nos buscabas?

TOPÉ.—Sí.

EMANU.—Y nosotros a ti.

DILA.—Entonces habrá sido por eso por lo que no os habéis visto.

EMANU.—Qué cansado estás.

TOPÉ.—Como que estoy corriendo desde que os dejé. ¡Menudas carreras!

EMANU.—Pobre Topé.

DILA.—Éste sí que sabe cómo ir por la vida. Deberías aprender de él[216].

EMANU.—Te escucho a ti que eres mi campo libre, mi gaviota y mi lugar ausente[217]. Tengo almendras. ¿Queréis comer conmigo?

---

[213] No aparece esta frase en P. A. Pone «Es que soy yo así. No lo puedo evitar.».

[214] P. A.: «DILA.—No lo puedo evitar. Y los demás ¿qué?
EMANU.—Será que soy más débil.
DILA.—Y tan débil.»

[215] Esta frase no aparece en P. A.

[216] En vez de estas dos frases P. A. y C. B. ponen: «Él sí que se porta bien con todos.»

[217] No aparece esta frase en P. A. y C. B.

(FODER, TOPÉ *y* DILA *asienten.* EMANU *saca un paquete de almendras: todos pican.)*

DILA.—Están muy buenas.
EMANU.—¿Sabéis a quién se las he quitado?
DILA.—Al tendero de la plaza, como si lo viera.
EMANU.—Qué lista eres.
DILA.—Como que te conozco de sobra: con eso de que es un cerdo riquísimo le quitas todas las noches un paquete de almendras[218].
EMANU.—Pero lo hago sin mala intención.
DILA.—Todo lo haces sin mala intención[219].

(Todos comen con deleite)[220].

DILA.—Si te cogen los guardias, luego, cada vez que comamos almendras nos acordaremos de ti.
TOPÉ.—Te las ofreceremos en el pensamiento.

(FODER *asiente con la cabeza*[221]. *El niño del «coche 3» llora.)*

VOZ DE MUJER.—*(«Coche 3».)*
¿Quién le va a dar la tetita al angelito? *(La madre ha debido darle el pecho: cesan los llantos. Durante ese silencio los tres amigos comen vorazmente. De vez en cuando dicen algo como:* «Están saladitas...», «deliciosas», *etc...)*[222].

---

[218] P. A. y C. B.: ...«le quitas todas las noches algo».
[219] P. A.: «Tú no haces nada con mala intención.»
C. B.: No aparece esta frase.
[220] P. A.: *«(Todos comen con delectación.)»*
[221] En vez de «DILA.—Si te cogen los guardias... *(*FODER *asiente con la cabeza.)*»
P. A. y C. B. ponen: «EMANU.—Podéis hacer una cosa: si me cogen las guardias, luego, por las mañanas, en ayunas, coméis almendras en memoria mía.
TOPÉ.—¡Huy, qué bien!
DILA.—Pensaremos que en cada almendra estás tú entero, ¿quieres?
TOPÉ.—Van a decir que somos antropófagos. *(Todos comen. Brinden cada almendra a* EMANU. *El niño del coche 3 llora.)*»
[222] En P. A. y C. B. no aparece esta instrucción *«(La madre ha debido... "deliciosas", etc. ...)»*, ponen simplemente: *«comen»*.

DILA.—Me comería un kilo.

(Por la derecha entran LASCA *y* TIOSIDO *—vestidos de guardia— y con una bicicleta. Van de derecha a izquierda. De pronto ven a* TOPÉ. *Se detienen.* TOPÉ *besa ostensiblemente a* EMANU *sobre la mejilla. Inmediatamente* LASCA *y* TIOSIDO *se dirigen a* EMANU.)

LASCA.—*(A* EMANU.)
¿Eres tú Emanu?
EMANU.—Sí, soy yo.
LASCA.—*(Violenta.)*
Quedas detenido.

*(*DILA, *atemorizada, sale huyendo y se refugia a la derecha.* LASCA *intenta poner las esposas a* EMANU. TIOSIDO *observa.)*

TOPE.—*(Trata de interrumpirla mientras le ponen las esposas a* EMANU.) Mi dinero, denme dinero.

(Más tarde.)

Habían prometido que me pagarían.

(Pausa.)

He sido yo quien le ha denunciado: tienen que darme el dinero.

(Pausa.)

Me lo prometieron.

(Por fin LASCA *logra poner las esposas a* EMANU *tras grandes dificultades. Ni* LASCA *ni* TIOSIDO *hacen el menor caso a* TOPÉ: *no le miran.)*

LASCA.—¿Llevas tú el cheque?
TIOSIDO.—No, yo no, ¿qué quieres que haga con él?
LASCA.—Pero tú te quedaste con el cheque ¿no?
TIOSIDO.—No, mujer, mira bien entre tus cosas.

(TOPÉ *sigue reclamando cada vez más su dinero*[223].

---

223 P. A.: *«...cada vez con más fuerza su dinero.»*

LASCA *y* TIOSIDO *siguen sin mirarle.* LASCA *registra sus bolsillos: aparecen una serie de objetos dispares: papeles, lapiceros, flores, matasuegras, pañuelos, una caja de sorpresa, etc.* TIOSIDO, *en su afán de buscar, abre la caja de sorpresa: un monigote le da en la nariz.* TOPÉ *reclama su dinero constantemente.)*

TIOSIDO.—Pero mira bien.

LASCA.—*(Recuerda.)*
¡Ah![224]

(LASCA *se quita la gorra de guardia. Mira en el interior de ella. Saca un papel.)*

LASCA.—*(A* TOPÉ.)
Toma un cheque.

(No le mira. TOPÉ, *muy contento, dice varias veces «Iupi» y sale corriendo por la izquierda.)*

TIOSIDO.—¡Tienes una cabecita!

LASCA.—Es cierto, se me olvida todo.

(De pronto LASCA *y* TIOSIDO *se dan cuenta de la presencia de* FODER. TIOSIDO *coge violentamente a* FODER *por las solapas.)*

TIOSIDO.—*(A* LASCA.)
Éste también iba con él. ¿No es cierto?

LASCA.—Yo creo haberle visto con él.

TIOSIDO.—¿No era éste el que tocaba el saxofón?

LASCA.—Creo que sí.

TIOSIDO.—*(A* FODER, *violentamente.)*
¿Tú eres amigo de Emanu? ¿No es eso?

(FODER *niega con la cabeza. Hace gestos exagerados de inocencia*[225]*.)*

LASCA.—*(A* FODER.)

---

[224] P. A.: «¡Ah! *(Se da un golpe en la frente.)* ¡Qué cabeza la mía!»
[225] No aparece esta frase en P. A. y C. B.

¿Que no eras tú su amigo?

(Grandes gestos de inocencia de FODER.)

TIOSIDO.—*(A* FODER.)
Pues yo juraría haberte visto con él. ¿Estás seguro de que no eras su amigo?

(FODER *niega insistentemente con la cabeza.)*

LASCA.—Cuando él lo dice.

(TIOSIDO *suelta a* FODER. FODER, *atemorizado, sale huyendo por la izquierda. De pronto las bocinas de los cinco coches suenan por tres veces; como el cacareo de un gallo.)*

LASCA.—*(A* TIOSIDO, *señalando a* EMANU.)
Le llevaremos a la farola[226].

(Señala la derecha.)

TIOSIDO.—Sí, es el mejor sitio.
LASCA.—¿Tienes los látigos?
TIOSIDO.—Claro[227].
LASCA.—*(Bruscamente, a* EMANU.)
No te muevas[228].

(TIOSIDO, *en silencio y ceremoniosamente, golpea a la puerta del «coche A». Aparece* MILOS *por la ventana, mira a* TIOSIDO *y desaparece tras las cortinas de saco. De nuevo aparece* MILOS *a la puerta con una palangana y un jarro en la mano.* TIOSIDO *se lava las manos despacio y ceremoniosamente*[229]. MILOS *se mete de nuevo en el «coche A».* TIOSIDO, *con las manos húmedas, golpea a la puerta del «coche 2». Aparece una toalla entre los pliegues de la cortina.* TIOSIDO *se seca las manos. Devuelve la toalla. Mientras* TIOSIDO *se ha lavado las manos*

---

[226] P. A. y C. B.: «Le llevaremos a la farola para flagelarle.»
[227] P. A.: «Claro. Pero yo no haré nada. En esto no me quiero meter. Yo sólo cumplo la ley.»
[228] P. A. y C. B.: No aparece esta frase de Lasca.

LASCA *ha tomado las medidas de* EMANU *[brazos en cruz], con minuciosidad.)*

LASCA.—*(A* TIOSIDO.)
¿Ya estás listo?

TIOSIDO.—Espera.

(Hace varios ejercicios gimnásticos.)

Ya estoy preparado.

LASCA.—Entonces vamos.

(LASCA *empuja a* EMANU. *Los tres salen por la derecha llevando la bicicleta por el manillar. Risas dentro de los coches. A los pocos instantes se oye la voz de* LASCA «Comienzo». *Se oyen los latigazos que se dan sobre* EMANU *y sus quejidos. Llanto de niño «coche 3».)*

VOZ DE MUJER.—*(«Coche 3».)*
¿Qué le pasa a mi niño? No llores.

(El niño llora cada vez más.)

VOZ DE MUJER.—*(«Coche 3».)*
Hazle una gracia.

VOZ DE HOMBRE.—*(«Coche 3».)*
Pero mujer, yo no sé.

VOZ DE MUJER.—*(«Coche 3».)*
Mira cómo llora el pobre. Hazle una gracia.

VOZ DE HOMBRE.—*(«Coche 3».) (Mugiendo.)*
Gi-han[230].

(El niño llora aún más: no se pueden oír los quejidos de EMANU. MILOS *sale del «coche A» con un biberón sobre una bandeja. Introduce el biberón entre las cortinas del «coche 3».)*

---

[229] En P. A. y C. B. no aparece *«Aparece* MILOS *por la ventana... de saco.»* Sigue: *«Aparece* MILOS *a la puerta con una palangana y un jarro en la mano.* TIOSIDO *se lava las manos despacio.»*

[230] P. A.: «¡Muuuuuuuuuú!»
C. B.: «Hi-han.»

MILOS.—Tengan los señores.

(El niño se calla. En el silencio se oyen los latigazos y los quejidos de EMANU. *De pronto* EMANU *lanza un grito agudo de dolor. El niño se pone a llorar de nuevo. Los padres le dicen cosas para calmarle. Bocinazo en el «coche 2».* MILOS *mete la cabeza entre las cortinas del «coche 2».)*

VOZ DE HOMBRE.—*(«Coche 2».)*
Tráeme ese niño. Quiero verle.

(MILOS *lleva al niño al «coche 2». El niño llora.)*

VOZ DE HOMBRE.—*(«Coche 2».)*
Niño, cállate.

(El niño deja de llorar.)

Parece un gorila. Niño, ya puedes llorar.

(El niño llora a grito pelado.)

No tan fuerte.

(El niño llora menos fuerte.)

Cállate, niño.

(El niño se calla.)

Parece un niño muy obediente.
MILOS.—*(Confidencial.)*
Es como su padre. Es el retrato de su padre.
VOZ DE HOMBRE.—*(«Coche 2».)*
¿También parece un gorila?
MILOS.—Quiero decir en lo de obediente.
VOZ DE HOMBRE.—*(«Coche 2».)*
Ya puedes llorar, niño.

(El niño llora.)

Más fuerte, niño.

(El niño llora a grito pelado.)

¡Pero qué muy obediente! Puedes llevárselo a su madre.

MILOS.—Muchas gracias, señor. ¿Desea algo más el señor?[231]

(MILOS *devuelve el niño al «coche 3».)*

VOZ DE MUJER.—*(«Coche 3» a* MILOS.)
Paséele a ver si logra dormirse.

MILOS.—¿Quiere que le cante alguna canción de cuna?

VOZ DE MUJER.—No, nada de canciones de cuna. Nuestro niño es ya muy militarote. Cántele una marcha militar.

MILOS.—¿Con tambores o con trompetas?

VOZ DE MUJER.—Con tambores.

MILOS.—Como quiera la señora.

(MILOS *se pone a pasear al niño. Le mueve como una nodriza. A pesar de sus promesas le canta una canción de cuna. Mientras tanto:)*

VOZ DE MUJER.—*(«Coche 3».)*
¿Has oído lo que ha dicho?

VOZ DE HOMBRE.—*(«Coche 3».)*
Sí, es encantador.

VOZ DE MUJER.—¿Pero has oído bien lo que ha dicho del niño?

VOZ DE HOMBRE.—Lo del gorila.

VOZ DE MUJER.—Sí.

VOZ DE HOMBRE.—Te repito que es encantador[232].

VOZ DE MUJER.—Yo también pienso lo mismo. Es encantador. Comparar a nuestro hijo con un gorila.

VOZ DE HOMBRE.—Es un padrazo. Desde que ha sabido que hemos tenido un niño no tiene ojos nada más que para él.

VOZ DE MUJER.—Es encantador[233].

---

[231] No aparece esta frase en P. A. y C. B.

[232] En P. A. y C. B. no aparece el segmento:
VOZ DE MUJER.—¿Pero has oído... Te repito que es encantador.»

[233] No aparece esta frase en P. A. y C. B.

(Latigazos. Quejidos de EMANU. *El niño —en brazos de* MILOS— *llora escandalosamente. Bocinazos en el «coche 4».* MILOS *se acerca al «coche 4» con el niño llorando en brazos. Se asoma a la ventanilla del «coche 4».)*

VOZ DE HOMBRE.—*(«Coche 4».)*
Démelo.

(MILOS *le pasa el niño. Se oye cómo el hombre pega al niño, que acaba por callarse. El hombre del «coche 4» devuelve el niño a* MILOS. *El niño vuelve a llorar.)*

VOZ DE HOMBRE.—*(«Coche 4».)*
Démelo otra vez.

(Se repite lo anterior. El niño se calla inmediatamente[234]. *Bocinazo en el «coche 3»*[235]. MILOS *se acerca al «coche 3».)*

VOZ DE MUJER.—*(«Coche 3».)*
Traiga al niño.
MILOS.—*(Les da el niño.)*
Ténganle[236].
VOZ DE MUJER.—*(«Coche 3».)*
¿Ha sido formalito?
MILOS.—Muy formalito.
VOZ DE MUJER.—¿Se ha hecho pipí?
MILOS.—Ah, no. No lo hubiera tolerado.
VOZ DE MUJER.—Es un angelito.
MILOS.—¿Quieren algo más los señores?[237]
VOZ DE MUJER.—No, nada más.

---

[234] No aparece esta frase en P. A., C. B. y C. G. Nuestra edición sigue la versión francesa 10/18 «L'enfant se tait définitivement.»
[235] No aparece el segmento con «el Hombre del "coche 4"» en P. A. y C. B.
El texto salta de «El niño —en brazos de MILOS— llora escandalosamente.» a «Bocinazo en el coche 3.».
[236] P. A.: «Tómenlo.»
[237] P. A. y C. B.: «MILOS.—Y que lo diga. ¿Quieren algo más los señores?»

MILOS.—Que pasen muy buena noche los señores.

(MILOS *vuelve al «coche A». Desaparece dentro de él. Latigazos. Quejidos de* EMANU. *Por fin, silencio.)*

VOZ DE MUJER.—*(«Coche 3».)*
Mira qué quietecito se ha quedado.
VOZ DE HOMBRE.—*(«Coche 3».)*
Como un angelito. Como un angelito[238].

(Por la derecha entran LASCA *y* TIOSIDO. *Llevan la bicicleta del guía; sobre la bicicleta atado va* EMANU *cubierto de sudor y de sangre; la nuca sobre el centro del manillar, los pies atados sobre el portapaquetes y cada uno de los brazos sobre cada uno de los lados de la guía. Cruzan el escenario de derecha a izquierda. Sin duda, les cuesta mucho esfuerzo. Empujan. A la mitad del escenario se paran y ocurren dos sucesos:*
1. DILA *entra por la derecha. Se acerca a* EMANU *y con un gran pañuelo blanco desplegado le seca la cara.* EMANU, *haciendo un esfuerzo supremo, dice:)*

EMANU.—*(De carrerilla y en un murmullo.)*
«Porque cuando se es bueno se siente una gran alegría interior que proviene de la tranquilidad en que se halla el espíritu al sentirse semejante a la imagen ideal del hombre.»

(DILA *le besa apasionadamente y se va por la derecha. 2.* TIOSIDO *llama a la puerta del «coche A». En seguida sale* MILOS)[239].

TIOSIDO.—Ayúdanos.
MILOS.—No puedo, tengo mucho trabajo.
TIOSIDO.—Te digo que nos ayudes.
MILOS.—*(De mala gana.)*
Bueno, vamos.

---

[238] P. A. no repite la frase «Como un angelito.».
[239] No aparece esta frase en P. A. y C. B.

(MILOS, TIOSIDO *y* LASCA *se ponen en marcha.* TIOSIDO *y* LASCA *llevan la bicicleta del manillar*[240]. MILOS *empuja por detrás. Aun siendo tres les cuesta mucho esfuerzo*[241]. *Cruzan la escena de derecha a izquierda. Los prismáticos de los «coches 2 y 4» siguen su salida*[242]. *Cuando la bicicleta ha desaparecido, se oyen risas en los coches*[243]. *Un tiempo. Comienza el día. Del fondo provienen los toques desgarradores de un clarinete y un saxofón que se oirán hasta el final del acto.* DILA *sale del «coche A» con una campanilla en la mano.)*

DILA.—*(Dirigiéndose a todos los coches al mismo tiempo que hace sonar la campanilla fuertemente.)* Levantaos[244], gandules, que ya es hora. No os hagáis los dormidos. De sobra sé que ya estáis despiertos.

(DILA *mete la campañilla dentro de los coches uno a uno.)*

Que os levantéis. Que ya es la hora.

(Entran LASCA *y* TIOSIDO *por la izquierda.* LASCA *va vestida de atleta —número 456—, parece muy cansada.* TIOSIDO, *infatigable, a su lado, le marca el paso. Va vestido normalmente.* LASCA *va a paso gimnástico. Cruzan la escena de derecha a izquierda.)*[245]

TIOSIDO.—Uno, dos, uno, dos, uno, dos, uno, dos, uno, dos...

TELÓN

---

[240] P. A. y C. B.: «TIOSIDO y LASCA *llevan la bicicleta del manillar —bicicleta sobre la que va* EMANU.»

[241] No aparece esta frase en P. A. y C. B.

[242] P. A. añade: «y desaparecen por la izquierda».
C. B. añade: «Desaparecen por la izquierda.»

[243] No aparecen las instrucciones *«Los prismáticos... risas en los coches.»* en P. A. y C. B. que ponen: «DILA *entra en el coche A. Risas dentro de los coches.»*

[244] P. A.: «Levantaos...».

[245] Esta frase aparece después de la línea de TIOSIDO en P. A. y C. B.: *«(Cruzan la escena de izquierda a derecha y desaparecen por la derecha.)»*

Cartel de una representación francesa.

El Arquitecto y el Emperador de Asiria

PERSONAJES

El Emperador de Asiria	Vestuario variado y barroco de hoy antiguo
El Arquitecto	Cubre sus desnudeces con una piel de animal.

La acción se desarrolla en un pequeño calvero en una isla en la que sólo vive el Arquitecto. Una cabaña y una especie de silla rústica. Matorrales al fondo.

ACTO PRIMERO

CUADRO PRIMERO

Ruido de avión. El ARQUITECTO, *como un animal perseguido y amenazado, busca un refugio, corretea, cava en la tierra, tiembla, corretea de nuevo y, por fin, esconde la cabeza en la arena.*

Explosión y resplandor de llamas. El ARQUITECTO, *con la cabeza contra el suelo y los oídos tapados con los dedos, tiembla de espanto.*

Pocos momentos después entra en escena el EMPERADOR *con una gran maleta. Tiene una cierta elegancia afectada, intenta permanecer tranquilo. Toca al* ARQUITECTO *con la extremidad de su bastón al tiempo que le dice:*

EMPERADOR.—Caballero, ayúdeme, soy el único superviviente del accidente.

ARQUITECTO.—*(Horrorizado.)* ¡Fi, fi, fi, figa...!

(Le mira un momento aterrado y, por fin, sale corriendo. Oscuro.)

Cuadro segundo

(Dos años después. En escena el Emperador *y el* Arquitecto.)

Emperador.—Con lo sencillo que es. A ver, repite.

Arquitecto.—*(Pronunciando ligerísimamente mal la «C», de una manera casi imperceptible.)* Ascensor.

Emperador.—*(Grandilocuente.)* Llevo dos años en la isla, dos años dándote lecciones y aún tienes dudas. Hubieras necesitado que el mismísimo Aristóteles se dignara resucitar para enseñarte cuánto suman dos sillas más dos mesas.

Arquitecto.—Ya sé hablar, ¿no es cierto?

Emperador.—Bueno; por lo menos si un día alguien cae en esta isla perdida podrás decirle Ave César.

Arquitecto.—Pero hoy me tienes que enseñar...

Emperador.—Ahora mismo. Escucha cómo canta mi musa la cólera de Aquiles[1]. ¡Mi trono!

(El Emperador *se sienta. El* Arquitecto *le hace una reverencia.)*

Emperador.—Eso, eso. No lo olvides. Soy el emperador de Asiria[2].

---

[1] Véase verso 1 de la *Ilíada.*

[2] Asiria (1300-600 a. C.), originalmente una provincia de la antigua Babilonia.

ARQUITECTO.—*(Recitando.)* Asiria limita al Norte con el mar Caspio. Al Sur con el Índico...
EMPERADOR.—Basta he dicho.
ARQUITECTO.—Enséñame como me habías prometido...
EMPERADOR.—Tranquilo, tranquilo. ¡Ah! *(Soñador.)* La civilización, la civilización...
ARQUITECTO.—*(Contento.)* Sí, eso.
EMPERADOR.—Cállate. ¿Qué sabes tú, encerrado toda tu vida en esta isla que los mapas olvidaron y que Dios cagó por equivocación en mitad del Océano?
ARQUITECTO.—Cuéntame, cuéntame.
EMPERADOR.—¡De rodillas!

(El ARQUITECTO *se arrodilla.)*

Bueno, no es necesario.

(El ARQUITECTO *se levanta. Muy enfático.)*

Explico.
ARQUITECTO.—¡Sí, sí, explica!
EMPERADOR.—Calla.

(Enfático de nuevo.)

Explico: Mi vida.

(Se levanta gesticulando.)

Me levantaba a las primeras horas del alba, todas las iglesias, sinagogas y templos tocaban sus trompetas. El día comenzaba. Mi padre venía con un regimiento de violinistas a despertarme. ¡Ah, la música...! Un día te explicaré qué es. La música. ¡Qué maravilla! *(De pronto, inquieto.)* ¿Has hecho ya las lentejas con chorizo?
ARQUITECTO.—Sí, Emperador.
EMPERADOR.—¿Dónde estaba? ¡Ah, el despertar; el regimiento de trompetistas que venía por la mañana; los violines de las iglesias...! ¡Qué mañanas! ¡Qué despertar! Luego acudían a visitarme mis divinas esclavas

ciegas, a enseñarme desnudas la filosofía iAh, la filosofía! Un día te explicaré lo que es.

ARQUITECTO.—Señor, ¿cómo te explicaban la filosofía?

EMPERADOR.—No entremos en detalles. Y mi novia... y mi madre...

ARQUITECTO.—Mamá, mamá, mamá.

EMPERADOR.—*(Muy asustado.)* ¿Dónde has aprendido ese grito?

ARQUITECTO.—Tú me lo has enseñado.

EMPERADOR.—¿Cuándo? ¿Dónde?

ARQUITECTO.—El otro día.

EMPERADOR.—¿Qué dije?

ARQUITECTO.—Dijiste que tu mamá te cogía en brazos, y dijiste que te arrullaba, y dijiste que te besaba en la frente; y dijiste...

(El EMPERADOR *vive las palabras. Se acurruca en la silla como si una persona invisible le arrullara y le besara.)*

Y dijiste que, a veces, te pegaba con un látigo... y dijiste que te llevaba de la mano por la calle... y dijiste...

EMPERADOR.—iBasta, basta! ¿Está encendida la hoguera?

ARQUITECTO.—Sí.

EMPERADOR.—¿Estás seguro de que permanece encendida día y noche?

ARQUITECTO.—Sí. Mira el humo.

EMPERADOR.—Bueno, ¿qué más da?

ARQUITECTO.—¿Cómo que qué más da? Has dicho que un día un barco o un avión nos verá y vendrá a rescatarnos.

EMPERADOR.—¿Y qué haremos?

ARQUITECTO.—Pues iremos a tu país donde hay coches y discos y televisión y mujeres y platos de confetti y kilómetros de pensamiento y jueves mayores que la Naturaleza y...

EMPERADOR.—*(Interrumpiendo.)* ¿Has preparado la cruz?

ARQUITECTO.—Aquí la tengo. *(Señala hacia los matorrales.)* ¿Me crucificas ya?
EMPERADOR.—Pero ¿cómo? ¿Es a ti al que hay que crucificar? ¿No es a mí?
ARQUITECTO.—Lo echamos a suertes, ¿lo has olvidado?
EMPERADOR.—*(Colérico.)* ¿Cómo es posible que hayamos echado a suertes quién iba a redimir a la Humanidad?
ARQUITECTO.—Maestro, lo olvidas todo.
EMPERADOR.—¿Cómo hemos echado a suertes? ¿Con qué?
ARQUITECTO.—Con una paja.

(Al EMPERADOR *le da un ataque de risa mientras repite):*

EMPERADOR.—¡Pajas, pajas!
ARQUITECTO.—¿Por qué ríes, maestro?
EMPERADOR.—¿Cómo? ¿Ahora me tuteas?
ARQUITECTO.—Tú habías dicho...
EMPERADOR.—¿Nunca te he dicho lo que significa la palabra paja, «hacer una paja»?
ARQUITECTO.—*(Cortándole.)* Entonces, ¿puedo tutearte o no?
EMPERADOR.—Mis mujeres ciegas enseñándome la filosofía, vestidas tan sólo con toallas rosas. ¡Qué memoria la mía! Lo recuerdo como si fuera ayer. ¡Cómo acariciaban mi divino cuerpo! ¡Cómo limpiaban mis huecos más sucios! Cómo... ¡a caballo!
ARQUITECTO.—¿Hago yo de caballo?
EMPERADOR.—No, yo.

(El EMPERADOR *se pone a cuatro patas. El* ARQUITECTO *se sube sobre él, como un jinete.)*

EMPERADOR.—Dime ¡arre!
ARQUITECTO.—Arre, caballo.
EMPERADOR.—Dame con el látigo.

(El ARQUITECTO *le azota con una rama de árbol.)*

ARQUITECTO.—¡Arre, caballo! ¡Más de prisa! ¡Que vamos a llegar a Babilonia! ¡Más de prisa! ¡Arre!

(Trotan, dan vueltas por la escena. De pronto el EMPERADOR *le tira al suelo.)*

EMPERADOR.—*(Frenético.)* Pero, ¿cómo? ¿No llevas las espuelas?
ARQUITECTO.—¿Qué son espuelas?
EMPERADOR.—Pero ¿cómo quieres que lleguemos a...?
ARQUITECTO.—A Babilonia.
EMPERADOR.—*(Con pavor.)* ¿De dónde has sacado esa palabra? ¿Quién te la ha enseñado? ¿Quién viene a verte cuando yo duermo?[3]

(Se abalanza sobre él y casi lo estrangula.)

ARQUITECTO.—Tú me las has enseñado.
EMPERADOR.—¿Yo?
ARQUITECTO.—Sí. Dijiste que era una de las ciudades de tu imperio.
EMPERADOR.—¿De mi imperio?
ARQUITECTO.—Sí. De Asiria.
EMPERADOR.—*(Dominándose, y enfático.)* ¡Hormigas!

(Mira hacia el suelo.)

¡Hormigas! ¡Diminutas esclavas! ¡Traedme un cuenco de agua!

(Se sienta en su trono y espera.)

¿No me habéis oído?

(Larga pausa.)

¡Traedme un cuenco de agua, he dicho!

(Enfurecido.)

---

[3] «Quién viene a verte cuando yo duermo»: Referencia al sueño de Eva instigado por la serpiente en el Paraíso. En *El Paraíso perdido* de Milton, V, 28-94, Eva relata su sueño de inspiración divina.

¿Cómo? ¿No se respeta al Emperador de Asiria? ¿Será posible? ¡Morid a mis pies!

(Se dirige rabiosamente hacia el reguero de hormigas y las pisotea furioso. Cae agotado en su trono. Sale el ARQUITECTO *y vuelve con un cuenco de agua.)*

ARQUITECTO.—Toma.

EMPERADOR.—*(Tirando el cuenco.)* ¿Para qué quiero yo agua? Sólo bebo vodka.

(Risita.)

ARQUITECTO.—¿No habías dicho que...?

EMPERADOR.—¿Y de mi novia? ¿Te hablé de novia?

ARQUITECTO.—*(Como una lección.)* Era-muy-guapa-muy-rubia-con-los-ojos-verdes...

EMPERADOR.—¿Te ríes de mí? *(Pausa.)* ¿Haces de novia?

ARQUITECTO.—¿Ahora?

EMPERADOR.—¿No quieres hacer de novia? *(Enfurecido.)* ¡Salvaje!

ARQUITECTO.—Últimamente soy yo siempre la novia y tú de gorra.

EMPERADOR.—¿También te enseñé el argot? ¡Estoy perdido!

ARQUITECTO.—¿Cuándo me vas a enseñar arquitectura?

EMPERADOR.—¿Para qué quieres saberla? ¿No eres arquitecto ya?

ARQUITECTO.—Bueno, hago de novia.

EMPERADOR.—Pero ¿no querías que te enseñara arquitectura? ¡Ah, la arquitectura!

ARQUITECTO.—Estábamos en lo de hacer de novia.

EMPERADOR.—Estábamos en que te voy a enseñar arquitectura... Las bases de la arquitectura son... Bueno, haré de novia, si insistes.

ARQUITECTO.—¿Cuáles son las bases de la arquitectura, entonces?

EMPERADOR.—*(Furioso.)* He dicho que hoy haré de novia, si tanto insistes.

ARQUITECTO.—Ponte las faldas.
EMPERADOR.—No sé ni dónde están. Todo lo pierdes. Todo lo dejas en cualquier sitio. Pero... pero... ¿es posible que ignores cuáles son las bases de la arquitectura, tú, un arquitecto de Asiria? ¿Es posible que me hayas engañado de tal manera que te haya nombrado arquitecto supremo de Asiria sin que sepas ni una palabra de arquitectura? ¿Es posible que no conozcas ni siquiera las bases? ¡Qué van a decir los vecinos!
ARQUITECTO.—Eres tú el que me has dado ese título. Yo no tengo la culpa. Yo no soy Emperador.
EMPERADOR.—¿Dónde están esas malditas faldas? ¡Hormigas, traedme inmediatamente las faldas!
ARQUITECTO.—No te obedecerán.
EMPERADOR.—¿Cómo que no me obedecerán?... ¡Hormigas, esclavas, traedme las faldas que voy a hacer de novia hoy...! ¿No me oís?... Pero ¿dónde tengo la cabeza? ¡Ya se me ha olvidado que acabo de pisotearlas a todas!

(Muy suave.)

Oye, dime la verdad, ¿crees que soy un dictador?
ARQUITECTO.—¿Qué es un dictador?
EMPERADOR.—Es verdad; no soy un militar. Dime, ¿os trato mal a vosotros, mis súbditos? Dímelo, confiésalo, ¿soy un tirano?
ARQUITECTO.—¿Te pones las faldas o no?
EMPERADOR.—Te pregunto si soy un tirano.
ARQUITECTO.—No eres un tirano.

(Disgustado.)

¡Basta!
EMPERADOR.—He matado las hormigas. Los tiranos...
ARQUITECTO.—Las faldas.
EMPERADOR.—Pero ¿es que vamos a hacer de curas hoy?
ARQUITECTO.—Bueno, ya veo que no quieres.
EMPERADOR.—*(Sin ponerse las faldas se tranforma en*

mujer. Voz de mujer.) «¡Oh, amor mío! ¿Me quieres?... Juntos iremos...»

ARQUITECTO.—«Eres tan bella, que cuando pienso en ti siento que una flor crece entre mis piernas y que su corola transparente cubre mis caderas. ¿Me dejas que te toque las rodillas?»

EMPERADOR.—*(Mujer.)* «Nunca he sido tan feliz. Tal alegría me embarga que de mis manos brotan manantiales para tus manos.»

ARQUITECTO.—«Tú, con tus rodillas tan blancas, tan redondas, tan suaves...»

EMPERADOR.—*(Mujer.)* «Acaríciamelas.»

(El EMPERADOR *va a subirse los pantalones para mostrar sus rodillas. No puede.)*

EMPERADOR.—*(Irritado.)*
¡Coño! ¡Las faldas!

(Silencio.)

ARQUITECTO.—He construido una piragua.

EMPERADOR.—*(Inquieto.)* ¿Te vas? ¿Me dejas sólo?

ARQUITECTO.—Remaré hasta llegar a otra isla.

EMPERADOR.—*(Enfático.)* ¡Oh, joven afortunado, que has tenido a Homero como heraldo de tus virtudes!

ARQUITECTO.—¿Qué dices?

EMPERADOR.—¿Y tu madre?

ARQUITECTO.—No he tenido madre, ya lo sabes.

EMPERADOR.—Eres hijo de una sirena y un centauro. La unión perfecta.

(Muy triste.)

¡Mamá, mamá!

(Da unos pasos como buscándola bajo su trono.)

¿Dónde estás, mamá? Soy yo, estoy aquí solo. Todos me han olvidado, pero tú...

ARQUITECTO.—*(Se ha puesto un velo sobre la cara. Hace de madre.)*
Hijo mío, ¿qué te pasa? No estás solo. Soy yo, mamá.

EMPERADOR.—Mamá, todos me odian; me han abandonado en esta isla.

ARQUITECTO.—*(Muy maternal, le cobija en sus brazos.)* No, hijo mío; aquí estoy yo, para protegerte. No te sientas solo. Dime, cuéntaselo todo a tu madre.

EMPERADOR.—Mamá, el Arquitecto me quiere abandonar. Se ha construido una piragua para irse y yo quedaré aquí solo.

ARQUITECTO.—*(Madre.)* ¡No seas así! ¡Ya verás como es por tu bien! Irá en busca de ayuda y vendrán a recogerte.

EMPERADOR.—¿Me lo aseguras, mamá?

ARQUITECTO.—*(Madre.)* Sí, hijo mío.

EMPERADOR.—Mamá, mamá, no te marches. Quédate siempre conmigo.

ARQUITECTO.—*(Madre.)* Sí, hijo mío. Aquí estaré contigo día y noche.

EMPERADOR.—Mamaíta, bésame.

(El ARQUITECTO *se acerca para besarle, y el* EMPERADOR *le rechaza violentamente.)*

EMPERADOR.—Apestas. Apestas. Pero ¿qué demonio has comido?

ARQUITECTO.—Lo mismo que tú.

EMPERADOR.—Pide cita con el dentista. Hueles que apestas. Que te ponga un empaste.

ARQUITECTO.—Me prometiste...

EMPERADOR.—Te prometí, te prometí... ¿Y qué? Tráeme mi caja de puros.

ARQUITECTO.—*(Con reverencia.)* Como quiera vuestra majestad. *(Sale. Regresa con una piedra.)* ¿Es ésta la que quiere el señor?

EMPERADOR.—Cuando digo puros, me refiero a «Genoveva y Casildo»[4].

ARQUITECTO.—*(Sale un momento. Vuelve con la misma piedra.)*

---

[4] Nombre inventado por el Emperador —al estilo de los puros *Romeo y Julieta.*

Aquí los tiene el señor.

EMPERADOR.—*(Toca la piedra. Mímica de que elige un buen puro, lo toma, lo huele, le corta la punta.)*
¡Ah! Perfume de los dioses. ¡Ah, los puros «Genoveva y Casildo»!

ARQUITECTO.—*(Mímica de que le enciende el puro con un mechero.)*
Tome lumbre el señor.

EMPERADOR.—Pero, ¿cómo? ¿Con mechero? ¿Y tú eres un criado que ha pasado por la Universidad? ¡Qué vergüenza! ¡Un puro se enciende con cerillas!

(Cambiando de tono.)

Y ¿Dónde tienes la piragua?

ARQUITECTO.—En la playa.

EMPERADOR.—*(Muy triste.)* Y ¿cuándo la has hecho?

(Sin dejar responder.)

¿Por qué la has hecho sin decirme nada? Júrame que no te irás de improviso.

ARQUITECTO.—Lo juro.

EMPERADOR.—¿Sobre qué?

ARQUITECTO.—Sobre lo que quieras. Sobre lo más sagrado.

EMPERADOR.—¿Sobre la constitución de la isla?

ARQUITECTO.—Pero ¿no es una monarquía absoluta?

EMPERADOR.—¡Silencio! ¡Aquí sólo hablo yo!

ARQUITECTO.—¿Cuándo me enseñas eso...?

EMPERADOR.—Pero ¿de qué hablas? Llevas todo el santo día diciendo que te enseñe «eso», que te enseñe «eso». ¿Qué es lo que tengo que enseñarte?

ARQUITECTO.—Me prometiste que hoy me enseñarías cómo se es feliz.

EMPERADOR.—Ahora, no. Más tarde, sin falta.

ARQUITECTO.—Siempre me dices lo mismo.

EMPERADOR.—¿Dudas de mi palabra?

ARQUITECTO.—Cuando se es feliz, ¿cómo es?

EMPERADOR.—Ya te lo contaré. ¡Qué impaciencia, qué impaciencia! ¡Ah, la juventud!

ARQUITECTO.—¿Sabes cómo lo veo yo? Pienso que cuando se es feliz se está con una persona que tiene la piel muy blanca y muy fina, y luego se le besa en los labios y todo se cubre de humo rosa y el cuerpo de esa persona se convierte en multitud de pequeños espejos y al mirarla a ella, uno se reproduce millones de veces, y se pasea con ella en cebras y en panteras alrededor de un lago, y ella le lleva a uno atado por una cuerda, y cuando se le mira comienza a llover del cielo plumas de paloma que al caer en el suelo relinchan como caballitos, y luego se entra en una habitación y se pone uno con ella a andar por el techo cogidos de la mano...

(Hablando a gran velocidad.)

Y nuestras cabezas se cubren de serpientes que nos acarician, y las serpientes se cubren de erizos de mar que les hacen cosquillas, y los erizos de mar se cubren de escarabajos de oro llenos de regalos, y los escarabajos de oro...

EMPERADOR.—¡Sóoooooo!

ARQUITECTO.—*(Se pone a cuatro patas.)* ¡Múuuuuuu, múuuuuuu! ¿Lo ves? ¡Soy una vaca!

EMPERADOR.—¡Calla, insensato!

ARQUITECTO.—¡Me masturbas?

EMPERADOR.—¿Ya no me respetas?

ARQUITECTO.—*(Con grandes reverencias.)* Eres el Emperador ilustrísimo y sapientísimo de la poderosísima Asiria.

EMPERADOR.—¿Qué has soñado hoy?

ARQUITECTO.—«Asiria, que es el mayor imperio del mundo occidental, en su lucha contra la barbarie del mundo oriental...»

EMPERADOR.—¡Bestia! Es al revés.

ARQUITECTO.—Hablo del peligro amarillo.

EMPERADOR.—¿Te has vuelto reaccionario?

ARQUITECTO.—¿No es así?

EMPERADOR.—¡Hagamos la guerra!

(Se preparan. Se acurrucan. Miman. Cogen «ame-

tralladoras». Se disparan. Se arrastran por el suelo, cada uno frente al otro, camuflados, con cascos, cada uno con una bandera.)

ARQUITECTO.—*(Sólo se ve su bandera: un palo y unas bragas. Hablando como si fuera un locutor de radio.)*

Aquí la radio de los vencedores. ¡Soldados enemigos! No os dejéis engañar por la propaganda falaz de vuestros oficiales. Os habla el General en jefe. Ayer hemos destruido con bombas de hidrógeno a toda la población civil de la mitad de vuestro país. ¡Rendiros como soldados y se os darán todos los honores de la guerra! ¡Por un mundo mejor!

EMPERADOR.—*(Idem.)* Aquí la radio oficial de los futuros vencedores. Os habla el Mariscal en jefe. ¡Soldados enemigos! ¡No os dejéis seducir por la demagogia de vuestros superiores! Ayer nuestros cohetes atómicos destrozaron a la población civil de vuestra nación, a la población civil de vuestra nación... a la población civil de vuestra nación...

(Como un disco rayado.)

ARQUITECTO.—*(Saliendo de su sector, camuflado, con unas fotografías, llora. El* EMPERADOR *también sale llorando. De espaldas ambos, vestidos de soldados, con sus armas, lloran mirando las fotografías de sus civiles muertos. De pronto se vuelven, se miran, se encañonan y gritan:)*

¡Arriba las manos, traidor!

(Los dos, manos arriba, tiran las ametralladoras y se miran asustados.)

ARQUITECTO.—¿Es usted un soldado enemigo?

EMPERADOR.—¡No me mate!...

ARQUITECTO.—No me mate a mí.

EMPERADOR.—Pero bueno, ¿es así como lucha usted por un mundo mejor?

ARQUITECTO.—Es que a mí me da mucho miedo la guerra. Yo estoy en mi trinchera, bien acurrucado, y nada. A ver si termina pronto.

EMPERADOR.—Y me he puesto manos arriba delante de usted... ¡Qué asco!... ¡Pues vaya soldados que tiene el enemigo!

ARQUITECTO.—Pues usted...

EMPERADOR.—Es que yo no soy muy guerrero... Por aquí, por mi sector, todos, más bien lo que queremos es que esto termine pronto. Pero ¿qué mira en esas fotos?

ARQUITECTO.—*(A punto de llorar.)* A todos los de mi familia, que los han matado ustedes con las bombas esas tan gordas.

EMPERADOR.—¡Vamos, hombre, no llores! Mira, también vosotros habéis matado a los míos.

ARQUITECTO.—¿También? ¡Pues vaya, qué desgraciados somos! *(Llora.)*

EMPERADOR.—¿Me permite que llore con usted?

ARQUITECTO.—¿No será una trampa de guerra?

(Los dos lloran a lágrima viva.)

EMPERADOR.—*(Grandioso. Tira al suelo su atuendo de soldado.)*

¡Qué vida llevaba! Todas las mañanas mi padre venía a despertarme con un cortejo de bailarinas. Todas bailaban para mí. ¡Ah, la danza! ¡Un día te enseñaré la danza! Toda Asiria asistía a mi despertar gracias a la televisión. Luego venían las audiencias. Primero la audiencia civil, que recibía en la cama mientras mis esclavas hermafroditas me peinaban y vertían sobre mi cuerpo todos los perfumes de Arabia. Luego la audiencia militar, que recibía en el retrete; y por fin la audiencia eclesiástica...

(Muy inquieto.)

¿Cuál es tu religión?

ARQUITECTO.—La que me has enseñado.

EMPERADOR.—Entonces, ¿crees en Dios?

ARQUITECTO.—¿Me bautizas?

EMPERADOR.—¿Cómo, no estás bautizado? Te condenarás: toda la eternidad te vas a quemar vivo día y noche y seleccionarán a las más bellas diablas para que te exciten y entonces te introducirán hierros candentes por el ano.

ARQUITECTO.—Pero si me habías dicho que iba a ir al cielo.

EMPERADOR.—¡Desgraciado! ¡Qué poco conoces de la vida!

ARQUITECTO.—Confiésame.

(El EMPERADOR *se sienta en el trono y el* ARQUITECTO *se pone de rodillas a sus pies.)*

ARQUITECTO.—Reverendo padre: me acuso de...

EMPERADOR.—¿Pero qué farsa es ésta? ¿Otra vez soy yo el confesor? ¡Fuera de aquí, bellaco! No te confesaré. Morirás cubierto de pecados y toda la eternidad te asarás por mi culpa.

ARQUITECTO.—He soñado que...

EMPERADOR.—¿Quién te manda contarme tus sueños?

ARQUITECTO.—Pues me lo acabas de pedir.

EMPERADOR.—¿Qué me importan tus sueños?... Bueno, cuéntamelos.

ARQUITECTO.—Soñé que estaba solo en una isla desierta y que, de pronto, un avión se caía. Yo sentía verdadero pánico; corría por todas partes y hasta quise enterrar mi cabeza en la arena, cuando alguien me llamó desde atrás y...

EMPERADOR.—No sigas. ¡Qué sueños tan extraños! Freud, auxíliame.

ARQUITECTO.—¿Es un sueño erótico, también?

EMPERADOR.—¿Y cómo no iba a ser erótico?

ARQUITECTO.—*(Coge un látigo y se lo ofrece.)* ¿Me pegas?

EMPERADOR.—*(Condescendiente.)* Bueno. ¿Qué papel hago ahora?

ARQUITECTO.—No sé, me trae sin cuidado. Pégame, pero pégame.

EMPERADOR.—¿Hago de tu madre?

ARQUITECTO.—¡Hala, de prisa; pégame! No puedo más. *(Está con la espalda al aire esperando los latigazos.)*

EMPERADOR.—¿Pero qué son esas prisas? ¿Ahora al señor hay que servirle inmediatamente? Dicho y hecho.

ARQUITECTO.—¡Pégame una vez! Sólo diez latigazos. *(En tono de súplica.)* Vamos, empieza.

EMPERADOR.—¡Sólo diez latigazos! ¡A mi edad!... Pero ¿crees que soy el joven Hamlet saltando por entre las tumbas de sus podridos antepasados?

ARQUITECTO.—Pégame, pégame: ¡ya no resisto más! Me duele aquí.

EMPERADOR.—Ya voy, ya voy. No hace falta que te pongas histérico. Te azotaré. Pero ¿cuántas veces?

ARQUITECTO.—Las que quieras, pero pégame de prisa. Si me pegas fuerte una vez bastará.

EMPERADOR.—¿Dónde hay que pegar al señor? ¿En sus sonrosadas nalgas, en su espalda de ébano, en sus muslos como columnas elegiacas de la inmortal Esparta?

ARQUITECTO.—Pégame, pégame.

EMPERADOR.—Bueno, ya voy. *(Con gran solemnidad le da un azote muy lento y de una extremada suavidad. El látigo apenas si le roza. El* ARQUITECTO *se tira al* EMPERADOR, *le quita el látigo y se fustiga dos veces violentísimamente. Cae al suelo como loco, se levanta y se marcha.)*

ARQUITECTO.—Me voy para siempre. *(El* EMPERADOR *solo en escena se pasea enfático.)*

EMPERADOR.—Bueno, seremos shakespearianos. Esto me da pie a un monólogo.

(Solloza. Se suena con un gran pañuelo.)

¡Oh, al fin solo!

(Se pasea con agitación.)

Pero ¿cómo haré para redimir a la Humanidad yo solo?

(Mima la crucifixión. De pronto chillando.)

Arquitecto... Arquitecto.

(Más bajo.)

Perdóname.

(Solloza. Se suena con un pañuelo y mima la crucifixión.)

Los pies, sí. Los pies me los clavo mejor que un centurión, pero...

(Mímica de la dificultad de clavarse las manos.)

¡Arquitecto...! Ven. Te pegaré cuantas veces quieras, y todo lo fuerte que desees...

(Llora.)

(Entra el ARQUITECTO. *Muy digno el* EMPERADOR *deja de sollozar.)*

EMPERADOR.—¿Tú, aquí? ¿Escuchas tras las puertas? ¿Me espías?

ARQUITECTO.—¿No te has enfadado?

EMPERADOR.—¿Te pego?

ARQUITECTO.—Ya no hace falta.

EMPERADOR.—¿Te he hablado alguna vez de mis catorce secretarias?

ARQUITECTO.—«Las - catorce - secretarias - siempre - desnudas - que - escribían - las - obras - maestras - que - tú - les - dictabas...»

EMPERADOR.—¿Te atreves a reírte de mi literatura? Has de saber que fui premio... Pero ¿cómo se llamaba ese premio, hombre?

ARQUITECTO.—«Premio-Nobel-y-lo-rechazaste-porque...»

EMPERADOR.—¡Cállate, energúmeno! ¿Qué entiendes tú de moral?

ARQUITECTO.—La moral limita al Norte con el Mar Caspio. Al Sur...

EMPERADOR.—¡Bestia! Lo mezclas todo. Eso es Asiria. Confundir Asiria con la moral... ¡Qué bárbaro! ¡Qué salvaje!

ARQUITECTO.—¿Apago?

EMPERADOR.—Haz lo que quieras.

ARQUITECTO.—Lo-lo-mil-lolooo-looo. *(El cielo se oscurece ante las palabras del* ARQUITECTO *y llega la noche. Oscuridad total.)*

VOZ DEL EMPERADOR EN LA OSCURIDAD.—¡Otra vez con tus bromas! Estoy harto... Haz que vuelva el día, que vuelva la luz. Aún no me he lavado los dientes.

VOZ DEL ARQUITECTO.—Pero me habías dicho que hiciera lo que quisiera.

VOZ DEL EMPERADOR.—Todo lo que quieras, salvo que hagas la noche.

VOZ DEL ARQUITECTO.—Ya voy, hombre.

VOZ DEL EMPERADOR.—¡De prisa!

VOZ DEL ARQUITECTO.—¡Mi-ti-rrii-tiii! *(Vuelve el día con la misma facilidad que se fue.)*

EMPERADOR.—No me vuelvas a dar estos sustos.

ARQUITECTO.—Creí que querías dormir.

EMPERADOR.—No te metas tú en eso. Bastantes cosas tenemos que llevar nosotros mismos. Deja que la naturaleza se encargue del sol, de la luna.

ARQUITECTO.—¿Me enseñas por fin la filosofía?

EMPERADOR.—¿La filosofía? ¿Yo? *(Sublime.)* La filosofía... ¡Qué maravilla! Un día te enseñaré esa extraordinaria conquista humana. Ese invento maravilloso de la civilización. *(Inquieto.)* Dime, pero ¿cómo haces eso de hacer la noche y el día?

ARQUITECTO.—Pues nada, es muy sencillo. Ni sé cómo lo hago.

EMPERADOR.—¿Y esas palabras que mascullas...?

ARQUITECTO.—Las digo porque sí. Pero también la noche puede llegar sin esas palabras... Basta con que lo desee.

EMPERADOR.—*(Intrigado.)* Esas palabras... *(Recuperándose.)* ¡Pobre incivil! No has visto nada. Te he hablado de la Televisión, de la Coca-cola, de los tanques, de los museos de Babilonia, de nuestros ministros, de nuestros Papas, de la inmensidad del océano, de la profundidad de nuestras teorías...

ARQUITECTO.—Cuéntame, cuéntame.

EMPERADOR.—*(Majestuoso, sentándose en el trono.)* Pájaro... tú, el de esa rama, tráeme inmediatamente una pierna de corzo, ¿me oyes? Soy el Emperador de Asiria. *(Espera señorial. Luego inquieto.)* ¿Cómo? ¿Te rebelas contra mi poderío infinito, contra mi ciencia y mi elocuencia soberanas, contra mi verbo y mi soberbia? Te digo que me traigas inmediatamente una pierna de corzo. *(Espera unos instantes. El* EMPERADOR *coge una piedra y la tira contra una rama.)*

EMPERADOR.—¡Muere entonces! Sólo tendré súbditos obedientes...

ARQUITECTO.—A los pies del más poderoso de los emperadores de Occidente.

(Se arrodilla a sus pies.)

EMPERADOR.—¿Cómo, de Occidente sólo? De Occidente y de Oriente. ¿Ignoras que Asiria ya ha lanzado satélites habitados a Neptuno? Dime, ¿hay alguna hazaña comparable a ésa?

ARQUITECTO.—Nadie hay tan poderoso en nuestra amada Tierra.

EMPERADOR.—¡Ay, el corazón! ¡La camilla! *(El* EMPERADOR *se contorsiona de dolor. El* ARQUITECTO *trae una camilla.)*

EMPERADOR.—¡Mi corazón!... óyele. Me siento muy mal. ¡Ah... este débil corazón mío! *(El* ARQUITECTO *se inclina sobre el corazón del* EMPERADOR *y le ausculta.)*

ARQUITECTO.—¡Tranquilízate, Emperador! ¡Creo que no es nada!... Reposa; se te pasará como otras veces.

EMPERADOR.—*(Con la voz entrecortada.)* No; esta vez es muy serio. Me siento desfallecer. Seguro que es un infarto de miocardio.

ARQUITECTO.—El pulso lo tienes casi normal.

EMPERADOR.—Gracias, hijo mío. Ya sé que quieres tranquilizarme.

ARQUITECTO.—Duerme un momento; ya verás cómo se te pasa.

EMPERADOR.—*(Muy inquieto.)* Mis últimas palabras... las he olvidado... Dime, dime, ¿cuáles son?

ARQUITECTO.—«Muero y estoy contento: dejo un mundo perecedero para entrar en la inmortalidad.» Pero no te preocupes de eso.

EMPERADOR.—Quiero decirte una cosa, una cosa que nunca te había confesado. Quiero morir disfrazado. *(Pausa.)* Disfrazado de *(Muy snob.)* Bishop of Chess[5].

ARQUITECTO.—¿Cómo?

EMPERADOR.—Bishop of Chess. Bishop es el alfil de ajedrez. Accede a mi deseo. Es muy sencillo. Me metes un palo entre las piernas para que pueda permanecer de pie como una ficha de ajedrez y me cubres de un caparazón de obispo loco.

ARQUITECTO.—Tu voluntad se cumplirá.

EMPERADOR.—¡Ay... me muero... me muero! ¡Haz lo que te pido! *(El* ARQUITECTO *trae un palo y un saco de arpillera y coloca ambas cosas al* EMPERADOR. *Hace una abertura en el saco para que se vea la cara del* EMPERADOR.)

EMPERADOR.—¡Ay, ay, mamá, mamaíta, me muero!

ARQUITECTO.—Te vas a curar... Tranquilízate. Ya estás vestido de Bishop of Chess.

EMPERADOR.—Bé...sa...me... *(Se besan jadeantes.)* ¡Me muero... y estoy satisfecho, dejo este mundo mortal

---

[5] En la versión original en español el Emperador pide ser disfrazado de «polo helado de chocolate»:

EMPERADOR.—Quiero decirte una cosa, una cosa que nunca te había confesado. Quiero morir disfrazado. *(Pausa.)* Disfrazado de polo helado de chocolate.

ARQUITECTO.—¿Cómo?

EMPERADOR.—Accede a mi deseo. Es muy sencillo. Me metes un palo entre las piernas y me cubres con un caparazón de color chocolate.

ARQUITECTO.—Tu voluntad se cumpla.

En la versión francesa (1967) Arrabal decidió reemplazar el disfraz de «polo de chocolate» por el «Bishop of Chess». Para nuesta edición Arrabal optó por mantener como definitiva la versión del «Bishop of Chess».

para...! *(Su cabeza cae. El* ARQUITECTO *llora desconsoladamente. Le toma la mano y se la besa.)*

ARQUITECTO.—*(Llorando.)* ¡Ha muerto... ha muerto!... *(Por fin le mete vestido de Bishop of Chess en un ataúd. Cierra el ataúd. Se pone a cavar, llorando. De pronto la tapa del ataúd se levanta y surge el Emperador quitándose el disfraz de Bishop of Chess.)*

EMPERADOR.—¡Animal, bestia! ¡Ibas a enterrarme! ¡Zampatortas, hermafrodita, ciempiés!

ARQUITECTO.—¿Pero no me habías dicho eso?

EMPERADOR.—¿Enterrarme? ¡Bestia, más que bestia! Y luego me despierto en un ataúd y ¿quién me saca de allí? Tres metros de tierra sobre mí.

ARQUITECTO.—La última vez...

EMPERADOR.—Te he dicho que hay que incinerarme... Y mis cenizas... *(Sublime.)* las lanzarás al mar como las de Byron, las de Shakespeare, las del Ave Fénix, las de Neptuno y las de Plutón.

ARQUITECTO.—El otro día te enfadaste porque te iba a incinerar; dijiste que te ibas a despertar con el culo medio quemado y dando saltos y gritando ¡viva la República!

EMPERADOR.—*(Muy serio.)* Te lo consiento todo, pero con mi muerte, ten mucho cuidado. Ni un error; y ésta vez todo han sido errores. ¡Qué profundísima desgracia la mía!

ARQUITECTO.—Me voy con la piragua.

EMPERADOR.—*(Humilde.)* ¿Adónde?

ARQUITECTO.—A la isla de enfrente. Seguro que está habitada.

EMPERADOR.—¿Qué isla? Nunca he visto isla por aquí.

ARQUITECTO.—Aquella, la que está allí.

EMPERADOR.—No la veo.

ARQUITECTO.—La montaña te lo impide. Voy a retirarla. *(El* ARQUITECTO *da una palmada y se oye un ruido fabuloso.)*

ARQUITECTO.—¿La ves ahora?

EMPERADOR.—¿Mueves las montañas? ¿También mueves las montañas...? *(Con sinceridad.)* No te marches... Haré lo que quieras... Te nombraré Emperador de Asiria. Abdicaré.

ARQUITECTO.—Me iré y tendré una novia.

EMPERADOR.—¿No te basta conmigo?

ARQUITECTO.—Me pasearé por las ciudades, y sembraré las calles de botellas para que los adolescentes se emborrachen y construiré columpios para que las abuelas enseñen las nalgas, y me compraré una cebra a la que pondré zapatos de ante para que le salgan ampollas, y seré muy feliz conociendo a todo el mundo y veré...

EMPERADOR.—Arquitecto, confiesa que me odias.

ARQUITECTO.—No, no te odio.

EMPERADOR.—Te regalo mis sueños, ¿quieres?

ARQUITECTO.—Siempre sueñas lo mismo... siempre el Bosco, siempre el Jardín de las Delicias... Ya estoy harto de ver mujeres a las que se les mete rosas en el culo.

EMPERADOR.—No eres un artista, eres un patán. No conoces lo sublime sino la escoria.

ARQUITECTO.—¿Qué es mejor? ¡No me lo has enseñado...!

EMPERADOR.—Vete a mi guardarropa imperial y coge el traje que quieras.

ARQUITECTO.—Cuando me marche, tendré todos los trajes que desee: me vestiré con cerillas, de un modo vago e indefinible, tendré calzoncillos de hojalata y corbatas eléctricas, tendré chaquetas hechas con tazas de café y camisas gris perla rodeadas de una cadena infinita de camiones cargados de casas...

EMPERADOR.—¿Te circuncido? Conservaré tu prepucio sobre un altar y hará milagros como los 56 de Cristo.

ARQUITECTO.—¿Me enseñas filosofía?

EMPERADOR.—La filosofía... ¡Ah! la filosofía. *(De pronto se pone a cuatro patas.)* Soy el elefante sagrado. Sube encima de mí. Vamos a ganar el año santo de Brama. *(El* ARQUITECTO *sube sobre él.)* Pon la cadena en torno a mi trompa, y ahora arréame y reza. *(Miman.)*

Cubierta de la edición inglesa.

ARQUITECTO.—¡Arree elefante blanco!

EMPERADOR.—Soy el elefante sagrado, es decir, soy rosa.

ARQUITECTO.—¡Arreee, elefante sagrado rosa! Vamos en peregrinación a ver a Brama, con sus catorce manos... Vamos a que nos bendiga catorce veces por segundo. ¡Viva Dios! *(El* EMPERADOR *le tira.)*

EMPERADOR.—¿Qué sacrilegio has dicho?

ARQUITECTO.—¡Viva Dios!

EMPERADOR.—¿Viva Dios? ¡Ah, pues la verdad es que no sé si es sacrilegio! Tendría que leer la suma teológica o por lo menos la Biblia en tebeo.

ARQUITECTO.—Antes de irme, quiero hacerte una confesión.

EMPERADOR.—Cuéntamelo todo. Soy tu padre, tu madre... todo para ti. *(Pausa.)* Un momento, el teléfono rojo. Me llaman. *(Mima ceremoniosamente.)* Sí, aquí el Presidente. *(Pausa.)* Hable, hable. *(Pausa.)* Querido Presidente, ¿cómo está? *(Pausa.)* ¡Qué simpático y qué bromista!

(Haciendo como si se ruborizara.)

¿Una declaración? Presidente, que ya no estamos en la escuela. *(Pausa.)* No se ponga así... No sabía que era usted homosexual... Hacerme una declaración a mí, viejo verde... pillín... *(Pausa.)* ¿Cómo? ¿Una declaración de guerra a mi pueblo? *(Pausa; en cólera.)* Desde lo alto de estos rascacielos diez mil siglos le contemplan. Le extirparé como una mosca extirpa un elefante salvaje. Mi pueblo invadirá su pueblo y hará con él... ¿Cómo dice? ¿Que una bomba de hidrógeno va a estallar sobre nuestra cabeza dentro de treinta segundos? ¡Mamá, mamá...! *(A su secretario.)* ¡Un paraguas!

(El ARQUITECTO *abre un paraguas, ambos se cobijan bajo él. Al teléfono.)*

¡Mal educado!... ¡Criminal de guerra!... ¡Matasuegras! *(Al* ARQUITECTO.) Y pensar que todo lo teníamos preparado para enviarles nuestras bombas por sorpresa mañana a las cinco. Mi reino por un Ave Fénix[7].

(Mímica del ruido de la caída de la bomba. «Mueren» víctimas de ella. Caen entre los matorrales. A los pocos instantes salen de entre ellos el Emperador *y el* Arquitecto *haciendo de mono y mona, rascándose la cabeza... Miran la desolación en que ha quedado todo tras la bomba.)*

Arquitecto.—*(Mona.)* «¡Mmmmm! ¡Mmmm! No ha quedado ni un hombre con vida tras la explosión atómica.»

Emperador.—*(Mono.)* «Mmmm. Mmmm. Papá Darwin.» *(Los dos monos se besan apasionadamente.)*

Arquitecto.—*(Mona.)* Habrá que volver a empezar. *(Se van hacia un rincón propicio apartado.)*

Emperador.—*(Cambiando totalmente de tono.)* Te prohíbo que te marches. Te prohíbo que me hagas una última confesión. Aquí soy yo quien manda y te ordeno que destruyas la piragua.

Arquitecto.—Voy.

Emperador.—¿Qué son esas prisas? Esta juventud alocada, todo dicho y hecho. Dime, ¿no eres feliz conmigo?

Arquitecto.—¿Qué significa ser feliz? No me lo has enseñado.

Emperador.—Feliz, feliz significa... *(Colérico.)* ¡Coño, yo qué sé! *(Con ternura.)* ¿Has ido ya hoy?

Arquitecto.—Sí.

Emperador.—¿Cómo lo has hecho, duro o blando?

Arquitecto.—Pues...

Emperador.— *(Muy inquieto.)* ¿Cómo? ¿No lo sabes? ¿Por qué no me has avisado? Ya sabes cómo me gusta vértelo hacer.

---

[6] Parodia de las últimas palabras del rey Ricardo III en la obra de Shakespeare *The Life and Death of Richard the Third:* «A horse! a horse! my kingdon for a horse!» (V, IV, 13).

ARQUITECTO.—Más bien blando y olía...
EMPERADOR.—No me hables de olores. *(Pausa.)* Yo sigo estreñido. *(Pausa.)* Qué diferente hubiera sido si hubieras hecho el Bachillerato, si hubieras estudiado una licenciatura... cualquier cosa. No nos comprendemos. Somos dos mundos diferentes.
ARQUITECTO.—Yo... *(Sinceramente.)* Te quiero...
EMPERADOR.—*(Muy emocionado y a punto de llorar.)* Te burlas de mí...
ARQUITECTO.—No. *(El* EMPERADOR *se suena, da una vuelta sobre sí mismo y, por fin, se sobrepone.)*
EMPERADOR.—*(Muy enfático.)* No puedes imaginártelo. Todas las mañanas al levantarme la Televisión de Asiria tansmitía mi despertar. Mi pueblo contemplaba el espectáculo con tal devoción, que las mujeres lloraban y los hombres repetían mi nombre en un susurro. Luego acudían a verme trescientas admiradoras mudas y desnudas que cuidaban mi delicado cuerpo con esencias de rosas...
ARQUITECTO.—Cuéntame cómo es el mundo.
EMPERADOR.—¿El mundo civilizado, quieres decir? ¡Qué maravilla! Durante miles de siglos el hombre ha almacenado conocimientos y ha enriquecido su inteligencia hasta llegar a la maravillosa perfección que hoy es la vida. Por todas partes la felicidad, la alegría, la tranquilidad, las risas, la comprensión. Todo está creado para hacer la vida del hombre más sencilla, su felicidad más grande y la paz más duradera. El hombre ha descubierto todo lo que es necesario para su bienestar, y hoy es el ser más feliz y tranquilo de toda la creación. Un cuenco de agua.
ARQUITECTO.—*(Dirigiéndose a un pájaro que el espectador no ve.)* Pájaro, tráeme un cuenco de agua. *(Breve espera. El pájaro vuela y el* ARQUITECTO *estira la mano y recoge el cuenco que le tiende el pájaro.)* Gracias.
EMPERADOR.—*(Tras beber en el cuenco.)* ¿Pero cómo? ¿Ahora hablas a los pájaros en mi lengua?

ARQUITECTO.—Es lo de menos. Lo importante es lo que pienso. Nos transmitimos el pensamiento.

EMPERADOR.—*(Amedrentado.)* Dime muy seriamente: ¿lees también mi pensamiento? ¿lo ves?

ARQUITECTO.—Quiero escribir. Enséñame a ser escritor. Tú tienes que haber sido un gran escritor.

EMPERADOR.—*(Halagado.)* ¡Menudos sonetos! ¡Menudas piezas de teatro, con sus monólogos, sus apartes...! Nunca hubo mejor escritor que yo. Los mejores me copiaron. Beethoven, D'Annunzzio, James Joyce, Carlos V, el mismísimo Shakespeare y su sobrino Echegaray.

ARQUITECTO.—Dime cómo la mataste.

EMPERADOR.—¿A quién?

ARQUITECTO.—Pues a...

EMPERADOR.—Pero ¿cuándo, cómo te he hablado de eso?

ARQUITECTO.—¿Te has olvidado?

EMPERADOR.—¿Olvidarme yo? *(Pausa.)* Oye, ¿sabes? Me retiro de la vida. Quiero meditar tan sólo. Ponme la cadena.

ARQUITECTO.—¿Por qué te vas a retirar ahora?

EMPERADOR.—*(Solemne. Religioso.)* Óyeme: son mis últimas palabras. Estoy harto de vivir. Quiero alejarme de todo lo que aún me une al mundo. Quiero separarme de ti. No me vuelvas a hablar. Quedaré solo con mis meditaciones.

ARQUITECTO.—¿Es un nuevo juego?

EMPERADOR.—No. Es la verdad. Además, quiero irme acostumbrando para cuando te marches con la piragua.

ARQUITECTO.—No me iré.

EMPERADOR.—No hablemas más. La cadena *(El* ARQUITECTO *trae la cadena. El* EMPERADOR *se ata con ella un tobillo y después a un árbol.)*

ARQUITECTO.—¿Dónde vas?

EMPERADOR.—Entro en la cabaña. No me vuelvas a dirigir la palabra.

ARQUITECTO.—Pero... *(El* EMPERADOR *entra en la cabaña.)*
EMPERADOR.—*(Solemne.)* Adiós... *(El* EMPERADOR *desaparece en el interior de la cabaña.)*
ARQUITECTO.—Oye, bueno, que ya sé que es un juego. Sal de ahí. *(Silencio. Poco a poco salen por el ventanuco las prendas del* EMPERADOR.)
ARQUITECTO.—Pero, ¿cómo, te desnudas? Vas a coger frío. *(Mira a través del ventanuco. Por fin, desde el interior, el* EMPERADOR *cierra el ventanuco.)*
ARQUITECTO.—Pero, oye, deja por lo menos que te vea. Abre. *(Pausa. Aplicando el oído.)* Pero ¿cómo, estás rezando? Abre de una vez. ¿Me oyes? Deja ya de murmurar. ¿Será posible que reces ahora? ¿Te vas a morir? Voy a contarte mi sueño. Escucha. Soñé que era una sabina y vivía en una ciudad muy antigua. Un día vinieron dos guerreros con Casanova y Juan Tenorio al frente y me raptaron. ¿Te interesa? *(Pausa. Mira hacia los matorrales.)* Serpiente, tráeme un cochinillo. *(Se mete en los matorrales y se agacha.)* Pero qué rápida eres. Gracias, gracias. *(Vuelve con una pata de cochinillo.)* Emperador de Asiria, tus admiradoras te acaban de traer un cochinillo. Huélelo. *(Lo airea ante el ventanuco.)* Pero si es lo que más te gusta. ¿Cómo es que no sales a por él? *(Silencio. El* ARQUITECTO *sale y vuelve vestido sucintamente de mujer con un traje de quita y pon.)* Mira a través de la rendija; mira qué mujer tan bella ha llegado a la isla. *(El* ARQUITECTO *evoluciona coquetamente.)*
ARQUITECTO.—*(Con voz de mujer.)* Emperador, salga, soy su humilde esclava. Le traigo todos los licores, los manjares más sabrosos y mi cuerpo escultural le pertenece. *(Pausa. Dirigiéndose a sí mismo, con voz de mujer.)* ¿Qué puedo hacer para que el hombre de mis sueños salga a verme?
ARQUITECTO.—*(Con su propia voz.)* Usted, que es una mujer, sabrá mejor que yo. Además, es tan celoso que apenas me atrevo a estar cerca de usted.
ARQUITECTO.—*(Con voz de mujer.)* Emperador, salga

un momento, que mis labios rocen sus divinos labios, que mis manos acaricien su cuerpo de ébano, que nuestros vientres se unan para siempre.

ARQUITECTO.—*(Con su voz.)* Usted que es tan bella, tan parecida a la madre del Emperador. ¿Cómo es capaz de resistir a tantos encantos?

ARQUITECTO.—*(Con voz de mujer.)* ¡Oh, Emperador cruel como las hienas del desierto! Si me abandona de esta manera, tendré que echarme en los brazos de su Arquitecto.

ARQUITECTO.—*(Con su voz.)* No me bese tan apasionadamente. El Emperador es celosísimo.

ARQUITECTO.—*(Con voz de mujer.)* ¡Oh, joven apuesto; cierro los ojos y al abrazarle siento que estoy entre los brazos del Emperador! ¡Oh, qué joven, qué seductor es usted! Qué razón tiene el adagio: a tal Emperador, tal siervo. Déjeme que le bese su vientre de fuego.

ARQUITECTO.—*(Con su voz.)* ¡Basta, no lo resisto! ¡Qué bella es usted, qué fascinante! Aunque salga el Emperador y me mate de celos, caigo víctima de sus encantos. *(Ruido de besos. Murmullos apasionados y de pronto el* ARQUITECTO *va furioso al ventanuco.)*

ARQUITECTO.—No te hablo más. Y no me digas luego que quieres ser mi amigo. No quiero volverte a ver. Me voy con la piragua. Me marcho para siempre. No te digo ni adiós; dentro de unos minutos estaré camino de la isla de enfrente. *(Sale furioso y decidido. Largo silencio. Se oye el murmullo de los rezos del Emperador. Al poco tiempo los murmullos se hacen más fuertes. La puerta de la cabaña se abre. Aparece el Emperador, tan sólo vestido con un pequeñísimo taparrabos.)*

EMPERADOR.—*(En tono de meditación.)* ...Y me construiré una jaula de madera y me encerraré dentro. Y desde allí perdonaré a la Humanidad todo el odio con que siempre me acogió. Y perdonaré a mi padre y a mi madre el día en que, uniendo sus bajos vientres, me crearon. Y perdonaré a mi ciudad, a mis amigos, a mis familiares, el haber desconocido siempre mis méritos e ignorado quién soy, lo que valgo, y perdonaré, y perdonaré, y perdonaré... *(Inquieto mira para un lado y otro y mientras habla construye un espantapájaros que pone en el trono.)* ¡Ah, encadenado, y al fin solo! Nadie me contradirá, nadie se reirá más de mí, nadie verá mis flaquezas. ¡Encadenado! ¡Qué felicidad! ¡Vivan las cadenas! Mi universo, una circunferencia cuyo radio tiene la longuitud de la cadena... *(La mide.)* Digamos, tres metros. *(Vuelve a medir.)* ...Es decir... es decir, dos metros y medio... a no ser que sean tres metros y medio. Pues si el radio es de tres metros pongamos cuatro, no quiero hacer trampas, la superficie será de πr^2, es decir, tres uno, cuatro, uno, seis... etcétera. Erre que son tres, al cuadrado, nueve, por pi..., son unos doce metros cuadrados. ¡Qué más quisieran en los barrios populares! *(Medio llora. Se suena. Con sus ropas de* EMPERADOR *de Asiria comienza a vestir al espantapájaros mientras continúa su monólogo. Intenta subirse en un árbol, sin lograrlo. Salta, quiere mirar a lo lejos. Por fin grita:)* ¡Arquitecto... Arquitecto, ven... no me dejes solo! Me siento muy solo. ¡Arquitec...! *(Se repone.)* Tendré que organizarme; nada de negligencias. Diana a las nueve de la mañana. Lavarme un poquito. Meditación. Pensar en la cuadratura del círculo. Quizá escribir sonetos, y la mañana se pasará volando. A la una, comida; abluciones. Luego un poco de siesta. Una paja larga, con buena técnica, tres cuartos de hora. ¡Qué pena no tener una novela pornográfica! Bueno, me acordaré de esa actriz, ¿cómo se llama?, tengo su nombre en la punta de la lengua, con sus piernas arqueadas, tan extrañas, tan seductoras, y esa cabellera rubia, tan bella, y ese vientre prominente... ¡Sooooo! Tras la siesta... *(Cuida de los detalles para que el espantapájaros reproduzca exactamente*[7] *su*

---

[7] Nuestra edición sigue la versión francesa:
«Il soigne les details pour que l'epouvantail reproduise exactement sa propre silhouette.»
La palabra «exactamente» no aparece en *Estreno.*

propia silueta.) Ya estás hablando contigo mismo..., te vuelves esquizofrénico. No puedes hacer eso. Tu equilibrio. *(Pausa.)* Por la tarde una hora para recordar a mi familia, otra para recordar al Arquitecto. Bueno, mejor media hora. O más bien un cuarto de hora, no se merece más. Luego la cena, las abluciones, y por fin a la cama... Pongamos a las diez. Tres o cuatro horas para conciliar el sueño y mañana será otro día. ¡Lo que voy a ahorrar! Ni cine, ni periódicos, ni una Coca. *(Mientras habla se quita la cadena; mira de un lado para otro y grita tristemente:)* ¡Arquitecto, Arquitecto, vuelve!

EMPERADOR.—*(Imitando la voz del* ARQUITECTO.) Ascensor, ascensor, ascensor. *(Humilde, mirando al espantapájaros.)* No me riñas, ya sé que llevas dos años enseñándome a hablar y aún no sé decir la palabra con corrección. *(Le hace una gran reverencia.)* Cuéntame, Emperador, cómo te despertabas en Asiria con la música de un ejército de flautistas. La Televisión retransmitía tu despertar, ¿no es eso? Y cien mil esclavas encadenadas y marcadas con tu hierro venían a lavar y a frotar cada célula de tu divino cuerpo con jarabes de Afganistán. *(Hace como que escucha al* EMPERADOR.)

EMPERADOR.—¡Oh, no, mi vida no tiene importancia! *(Pausa.)* No, no es que me haga de rogar, pero no tiene ningún interés. *(Avergonzado.)* Bueno, al final ya tenía un buen sueldo, no se vaya a creer. ¡Qué contenta se puso mi mujer cuando por fin me lo aumentaron! De haber continuado, hubiera llegado a subir por el ascensor principal y hubiera llegado a tener la llave del retrete del Director General. *(Pausa. Sale. Vuelve con unos faldones de hierba que se pone ceremoniosamente mientras prosigue su relato.)* ¿Quién se lo ha dicho? Cuando entré estaban los dos desnudos sobre la cama. Él dijo: «Ven a ver cómo violo a tu mujer.» *(Pausa.)* Ella resistía con todas sus fuerzas y me pareció que lloraba. Suplicaba: «¡No, no!» Luego dejó de forcejear y jadeó mientras le besaba el hombro: sólo se le veía el blanco de los ojos. Cuando todo acabó, ella se puso a llorar y él rió a carcajadas. *(Pausa.)* La misma escena se repitió varias veces. Por fin, él se levantó riendo y me dijo: «Ahí tienes a tu mujer.» Entonces me acerqué a ella, le acaricié la espalda, y de repente, se puso a gritar. *(Se sienta en el suelo, se coloca de cuclillas y llora.)* Pero nos queríamos. Era muy buena conmigo. En cuanto tenía el menor catarro, ya estaba poniéndome cataplasmas. *(Pausa.)* Y mis superiores también me querían y hasta me dijeron un día que me nombrarían... *(Pausa. Llora.)* ¿Mi madre...? *(Pausa.)* Ya no me quería como cuando era niño; me odiaba a muerte. Mi mujer sí me quería. *(Pausa.)* No, amigos sí que tuve, pero... claro, tenían envidia de mí... ¡Menudos celos de todo lo mío! *(Salta intentando subirse en un árbol sin lograrlo. Mira hacia la lejanía. Por fin grita:)* ¡Arquitecto...! ¡Arquitecto...! ¡Arquitecto...! Ven, no me dejes solo, me siento demasiado solo. ¡Arquitectooooo! ¡Arqui...! Debería llamarle Arqui, hace más fino. *(Se repone.)* Claro, al final ya no veía a mis amigos. También es que tenía mucho trabajo y no podía atenderles. Cuando se trabaja ocho horas diarias y se toman trenes y el metro... No me daba tiempo de nada... Además, mis superiores me dijeron que era indispensable en el trabajo. *(Pausa.)* De niño, ¡qué diferente era! ¡qué sueños tenía! Una vez que tuve una novia me puse a volar, pero ella no se lo creyó. Y sabía que un día sería Emperador, como usted. Emperador de Asiria; eso esperaba que llegaría a ser. ¿Quién me iba a decir que le iba a encontrar? Soñaba que iba a ser el primero en todo, que escribiría y sería un gran poeta; pero créame, si hubiera tenido tiempo, si no hubiera tenido que trabajar tanto, ¡menudo poeta hubiera sido! Y hubiera escrito un libro como los *Caracteres* de La Bruyére. De ese modo todos mis enemigos, que tantos celos tenían de mí, hubieran recibido duras lecciones. No se escaparía ni uno. *(Risita un poco boba.)* Emperador, ¿qué quiere que haga?

Soy su subordinado. ¿Se aburre? Mándeme. *(Pausa.)* Ahora mismo lo hago. Ya verá cómo se divierte. *(Sale y vuelve con un orinal. Se instala en mitad del escenario. Hace esfuerzos tras haberse sentado sobre el recipiente.)*

EMPERADOR.—No puedo. Estoy estreñido. *(Tras largo silencio, muy compungido, se levanta y se marcha con el orinal. Vuelve sin él. Se pone a llorar.)* Pude haber sido relojero. Hubiera sido libre; hubiera ganado mucho dinero. Yo solo en casa, arreglando relojes, sin jefes, sin superiores, sin nadie que se riera de mí. *(Lloriquea.)* De niño era diferente. *(Se anima.)* ¿Sabe? Faltó poco para que tuviera una querida. ¡Qué elegante hubiera hecho! Yo con una querida... Era muy rubia, muy guapa... Fuimos muy felices. Nos encontramos en el parque y hablamos, y hablamos durante mucho tiempo. Quedamos citados para el día siguiente. Estaba seguro de que me quería... Bueno, de que no le era indiferente. Me pasé la noche dibujándole un corazón atravesado por una flecha; un corazón grande, como los de las iglesias, y todo el rojo lo dibujé con mi propia sangre. Venga a picarme en los dedos... ¡El daño que me hice! *(Mira a lo lejos y grita desconsoladamente.)* ¡Arquitectoooo! ¡Arquitecto! *(Se tranquiliza.)* Bueno, a lo mío. ¿Por dónde iba? ¡Ah!... Y venga a pensar en ella... Era rubia, muy guapa... Cuando la miraba todo mi cuerpo se cubría de escamas, y me parecía que yo entero era un pez que pasaba entre sus piernas. Resultó muy bonito el corazón... Quizá demasiado redondo, y a la flecha le puse mi nombre. Mientras lo dibujaba, me parecía que volaba con ella por los aires, y que nos perdíamos en el cielo, y que todo su cuerpo eran labios y manos para mí. ¡Qué bonito quedó todo! El corazón, la flecha, las gotas que caían... Era simbólico. Lo malo es que luego la sangre quedó muy oscura... Era tan guapa, tan rubia... Hablamos por lo menos media hora en el parque... De banalidades, eso parecía: el tiempo, dónde estaba tal calle, tal otra... Pero tras ello bien veía que hablamos de nuestro amor. Ella me quería, no cabía duda. Cuando me decía: «Hace menos frío que el año pasado» comprendía que quería decirme: «Nos marcharemos juntos y comeremos erizos de mar mientras cubro tus manos y tu pubis con cámaras fotográficas.» Y cuando yo le respondía: «Sí, el año pasado por esta época, hubiera sido imposible pasearse a estas horas por el parque.» En realidad era como si le dijera: «Eres como todas las gaviotas del mundo a la hora de la siesta. Duermes sobre mí como pájaro entra en una botella de cristal. Siento el palpitar de tu corazón y el ritmo de tu respiración en todos los poros de mi piel, y de mi corazón brota un surtidor de agua cristalina para bañar tus pies blancos»... Y aún pensaba más cosas. Por eso me pasé la noche entera haciéndole el dibujo. Y como no sabía su nombre, decidí llamarla Lis. Al día siguiente fui a la cita. ¡Qué emocionado estaba! Apenas había trabajado en la oficina. Mis jefes me encontraron raro. ¡Menudo día pasé pensando en ella!... Me pregunté si le diría algo a mi mujer, pero no le dije nada. Cuando llegué al parque... *(Casi llora.)* Bueno, debió confundirse; no lo entendería bien... Una semana me pasé yendo al parque... Cinco horas cada noche, por lo menos. ¡Seguro que la pilló un coche! No podía ser de otro modo. *(Cambia de tono.)* Voy a bailar para usted. *(Ejecuta una danza grotesca.)* Hubiera bailado divinamente, como un dios. ¿Qué le parece? *(Baila. Recita.)*

«¡Pobre barquilla mía,
sin velas desvelada
y entre las olas, sola!»[8]

No debía haber caído aquí. ¿Cuándo va a recibir las audiencias Vuestra Majestad? *(Se quita la falda y*

[8] Lope de Vega, *La Dorotea,* III, vii:
Pobre barquilla mía,
Entre peñascos rota,
Sin velas desvelada,
Y entre las olas sola.

queda con un taparrabos.) ¿Quiere que me vista? *(Sale. Vuelve con bragas de mujer oscuras, con encaje.)* Huelen muy bien. *(Las huele y se las pone.)* Y luego Dios y sus criaturas, nosotros. *(Mira el efecto de las bragas.)* No está mal, ¿eh Emperador?... ¿Sabe que me jugué al tilt, a la máquina, la existencia de Dios? Si de tres partidas ganaba una, Dios existía. No lo puse difícil, y además, con lo bien que manejo los flipers... Y era una máquina que conocía: encendía los pasillos a las primeras de cambio. Hago la primera partida: seiscientos setenta puntos y había que hacer mil. *(Sale. Entra con un liguero.)* Comienzo la segunda partida. Primera bola: garrafal. Se me cuela entre las piernas: dieciséis puntos. Un récord. *(Se pone el liguero. Se lo ajusta.)* Saco la segunda. Sentí la inspiración, digamos, divina. El bar está pendiente de mí. Movía la máquina como un negro bailando con una blanca. Respondía a todo: trescientos, cuatrocientos, quinientos, seiscientos, setecientos puntos. Todo me salía bien, el bonus, la «retro-value», los puntos, la bola gratuita, total, que hice...

(Se contempla. Se ajusta mejor el liguero.)

No está mal, ¿eh? ¿Qué le parece el liguero? ¡Ah, si el Arquitecto estuviera aquí!... Crearíamos de nuevo Babilonia y sus jardines colgantes. Novecientos setenta y tres puntos, es decir, si quito los dieciséis puntos de la primera bola, quedan novecientos cincuenta y siete, más o menos lo que había hecho con una sólo. En cuanto hiciera mil, ya estaba: Dios existía. Estaba impaciente. Dios en mi mano. La prueba irrefutable de su existencia: adiós al gran relojero, al arquitecto supremo, al gran ordenador. Dios existiría y yo lo iba a demostrar de la manera más categórica, mi nombre pasaría a todos los libros de teología, se acabaron los concilios, las lucubraciones, los obispos y los doctores, yo solo iba a descubrirlo todo; todos los periódicos hablarían de mí.

(Sale. Entra con un par de medias negras.)

Las prefiero negras, ¿y usted?

(Se las coloca con coquetería, se las ajusta al liguero; gritando.)

¡Arquitecto...! ¡Arquitecto... vuelve! Hablaré contigo, no me volveré a encerrar en la cabaña. *(Lloriquea.)* Pájaros, obedecedme, id a llamarle, decidle que le espero. *(Irritado.)* ¿Me habéis oído? *(Con otro tono.)* ¿Cómo dice él? ¡Clu-cli-cli-clo...! No, no es así. Pensar que habla con los pájaros... ¡Vaya tío! ¡Y hasta mueve las montañas!... Montaña, camina... *(Observa, con cierta inquietud.)* Nada, ni una brisa. Montaña, te digo que caigas al mar... *(Observa de nuevo.)* Y el tío... lo mismo hace el día que la noche...

(Sale. Vuelve con un sostén negro con encaje. Se lo pone. En lugar de pechos se coloca dos melocotones.)

¡Si mi madre me viera!... ¿Por dónde iba? Novecientos setenta y tres puntos. Como aquel que dice, Dios estaba en mi mano. Tan sólo necesitaba veintisiete puntos en una bola. Ni en mis peores días hacía menos. Lanzo la bola artísticamente con efecto y me cae exactamente en el triángulo de los bonus. Un punto cada vez que se toca uno, y con mi estilo. Comienzo a agitar la bola que va y viene a mi merced. ¿Se da cuenta, Emperador, se da cuenta, Majestad? *(De pronto gritando.)* ¡Arquitecto, ven, que voy a tener un hijo; no me dejes solo..., solita! *(Se pone a rezar.)* «...En este valle de lágrimas...» *(El resto no se entiende.)* Emperador, mi madre me odiaba, créamelo, se lo juro, la culpa fue suya, ella tuvo la culpa. *(Sale.)*

VOZ DEL EMPERADOR.—No lo encuentro... ¿dónde lo habrá metido este berzas? Mira que se lo tengo dicho. Pon todo en orden: Cada cosa en su sitio. Cualquiera sabe dónde deja las cosas. Un peine. ¡Qué asco!... Un preservativo en esta isla. Hasta aquí ha llegado el birth-control. Me lo pongo. Pues me cae bien. *(Gritando.)* ¡Arquitecto...! ¿Dónde has puesto el traje? Estará dale que te pego remando como un tarado de los Juegos Olímpicos... ¡Ah, la juventud! ¡Qué bestia es el tío! Mira donde lo ha puesto. Un traje tan bonito en el cajón de las mariposas disecadas... *(Reflexiona.)* ¿Qué habrá querido decir con esto? ¡Emperador, ahora mismo voy! *(Aparece con el traje bajo el brazo.)*

EMPERADOR.—Todo el café me rodeaba y yo sacudía la máquina como un diablo. Ella me obedecía sumisa: novecientos ochenta y ocho, novecientos ochenta y nueve, novecientos noventa, novecientos noventa y uno... noventa y dos... noventa y tres..., novecientos noventa y cuatro. Y sólo había que hacer mil; y la bola estaba aún arriba. Ya no podía perder. Al caer la bola marca automáticamente diez puntos. Estaba loco de contento: Dios se había servido del más humilde de los mortales para probar su existencia. *(Se arregla con coquetería las medias, ligueros, bragas y sostén. Se pone unos zapatos de tacón alto y camina un momento.)* ¿Cómo se las arreglan para andar con esto? *(Anda con dificultad.)* Será cuestión de práctica. «Cum amicis deambulare», pasear con los amigos. ¡Menudo latinista hubiera hecho! Estoy seguro que si me pongo a andar con estos tacones, me acostumbro en menos que canta un gallo y me corro el maratón con ellos. ¡Emocionante mi llegada a Atenas! ¿Pero era Atenas? Con tacón alto y liguero... «Atenienses, hemos obtenido la mayor victoria de los siglos modernos.» Luego vendería mis memorias a cualquier semanario. ¡Arquitecto! *(Grita.)* Voy a ser madre, voy a tener un hijo. Ven a mi lado... *(Con otro tono.)* Y ese cabrón con su piragüita de marras... ¡Qué sabe él de la vida! *(Estira el traje. Es un hábito de monja. Se lo pone.)* ¡Y óigame bien! No me lo va a creer, estoy con la bola, venga a marcar puntos: novecientos noventa y siete, novecientos noventa y ocho, novecientos noventa y nueve, y en este momento, un borracho pega un golpe a la máquina y hace ¡tilt!, falta, y la máquina se quedó así parada, la partida acabada, y como una idiota repetía: novecientos noventa y nueve, novecientos noventa y nueve. *(Se mira con el traje de monja.)* ¡Menuda carmelita hubiera hecho! Pero de descalza ni hablar. *(Gritando.)* Novecientos noventa y nueve... ¿Se da cuenta, emperador? ¿Qué puedo pensar? ¿Dios existe o no? ¿Debo considerar que tenía apuntados los diez puntos que gané automáticamente, o no? Menudo traumatismo: Novecientos noventa y nueve puntos... *(Se pasea observándose.)* ¿Y si hiciera milagros? Las carmelitas los hacen. *(Recita.)* «¿Y os parece milagroso alimentar a toda la muchedumbre con dos sardinas y un pedazo de pan?[9]. El capitalismo cristiano hizo mucho mejor después»[10]. ¡Qué tío! El que escribió esas líneas es de los míos. Emperador, ¿me oye? ¿Está enfadado? *(Se tira a los pies del espantapájaros /* EMPERADOR. *Le toma la pierna. La acaricia.)* Emperador: le amo. Es usted el más seductor de los hombres. Por una palabra de sus labios... Voy a tener que dar a luz solo. *(Gritando.)* ¡Arquitecto, que ya viene el niño! *(En efecto, su vientre aparece anormalmente inflado.)* ¡Menudo invento el de las monjas! Con estos hábitos apenas se da uno cuenta cuando están preñadas. Padre, me acuso de... haber hecho cosas feas.

EMPERADOR.—*(Voz de confesor.)* ¿Cómo? ¡Desgraciada! ¿Cómo has cometido ese tremendo sacrilegio? Perra maldita, infame.

EMPERADOR.—*(Carmelita.)* Sí, Padre, el diablo me tentó tan fuertemente...

EMPERADOR.—*(Confesor.)* ¿Con quién lo hiciste, ramera?

---

[9] Referencia al relato evangélico (San Marcos 6:37-44; San Lucas 9:13-17 y San Juan 6:9-13) en que Cristo alimenta a cinco mil personas con dos peces y cinco panes.

[10] Georges Darien (1862-1921), autor francés de *Biribi, Bas les coeurs, L'epaulette* y *Le voleur* cuyo nombre verdadero era Georges Adrien. Estuvo detenido durante años en Túnez en un campo disciplinario de la Legión Extranjera. Odiaba la cobardía de los políticos y el espíritu militar. Gracias a *Le voleur* (donde se encuentra esta frase) conocemos su anticonformismo.

THE ARCHITECT
AND THE EMPEROR
OF ASSYRIA
A PLAY
BY ARRABAL

Cubierta de la edición estadounidense.

EMPERADOR.—*(Carmelita.)* Con el ancianito del hospicio, que vive en el quinto, solo...

EMPERADOR.—*(Confesor.)* ¡Pendón!: clavas aún más las espinas de Cristo en su frente divina con ese pingajo humano. ¿Cuántas veces lo hiciste, perra profanadora?

EMPERADOR.—*(Carmelita.)* ¿Cómo cuántas veces? ¿Cuántas veces quiere que sea?

EMPERADOR.—*(Confesor.)* Eso pregunto yo, pecadora.

EMPERADOR—*(Carmelita.)* Pues una vez..., está ya muy viejecito.

EMPERADOR.—*(Confesor.)* No hay penitencia humana que pueda redimir tu culpa. ¡Infiel! ¡Atea!

EMPERADOR.—*(Carmelita.)* ¿Qué puedo hacer para recibir la absolución?

EMPERADOR.—*(Confesor.)* Sacrílega. Esta noche vendrás a mi habitación con cilicios y látigos. Te desnudaré y pasaré la noche azotándote. Tan enormes son tus pecados que yo también tendré que pedir a Dios que te perdone y para ello también me desnudaré y tú me azotarás, perra maldita.

EMPERADOR.—*(Voz normal.)* ¡Arquitecto, ven: ven deprisa, te necesito! *(Gritando.)* Ya siento los últimos dolores. ¿Dónde está la camilla? *(Se acuesta en la camilla.)*

EMPERADOR.—*(Parturienta.)* Doctor, dígame, ¿voy a padecer mucho? *(Pausa.)*

EMPERADOR.—*(Doctor.)* Respire como un perro. *(Jadea.)* ¿No has aprendido el parto sin dolor? *(Enfadado.)* Respira así, ah, ah.

(Respira mal como un perro.)

No, así no; así: ah, ah.

(Respira mal.)

EMPERADOR.—*(Parturienta.)* Doctor, no logré aprenderlo. Auxílieme. Estoy sola, abandonada de todos.

EMPERADOR.—*(Doctor.)* Sólo sabéis fornicar. Es lo único que sabéis. Eso lo aprendéis volando. Ah, ah. *(Respira como un perro.)* No ves qué fácil es. *(Ella respira mal.)* Desgraciada, ¡pensar que estabas a cuatro patas como una perra cachonda con tu hombre y ahora no sabes ladrar! ¡Qué humanidad ésta! Cristo tenía que haber sido un perro, le hubieran crucificado sobre una farola y toda la humanidad perrificada vendría a mear sobre el poste. ¡Respira, perra!: ¡ah! ¡ah!

EMPERADOR.—*(Parturienta.)* Doctor, auxílieme. Déme la mano.

EMPERADOR.—*(Doctor.)* ¡Noli me tangere![11]

EMPERADOR.—*(Parturienta.)* Siento los últimos dolores. ¡Ya viene! Lo siento muy bien.

EMPERADOR.—*(Doctor.)* !Ah! Aquí está la cabeza. Buena cabeza... Aquí aparecen los hombros. Buenos hombros.

EMPERADOR.—*(Entrecortadamente gime con voz de parturienta. Chilla. Babea.)*

EMPERADOR.—*(Doctor.)* Aquí está su pecho. Buen pecho. ¡Un último esfuerzo! Haga un último esfuerzo.

EMPERADOR.—*(Parturienta; respira mal.)* ¡No puedo más, doctor; anestésieme... drógueme!

EMPERADOR.—*(Doctor.)* ¿Te crees un beat-nick? ¿Thomas de Quincey? ¡Drogarte!... Un esfuerzo y en seguida.

(Chillido feroz.)

EMPERADOR.—*(Doctor.)* ¡Aquí está, entero!... ¡Buen espécimen de los terráqueos! ¡Otro nuevo elemento de la raza... aquí está! A usted ya no le podrán decir que no ha colaborado a los valores de nuestra civilización. ¡Uno más!

EMPERADOR.—*(Madre.)* ¿Es niño o niña?

EMPERADOR.—*(Doctor.)* ¿Qué quiere que sea? Niña... Ahora son todas niñas. ¡Ya no nacerán nada más que niñas! Una humanidad entera de lesbianas. Se acabarán las guerras, las religiones, el proselitismo, los ac-

---

[11] «Noli me tangere» (latín), «no me toques» (San Juan 20:17).

cidentes de coches. ¡Una humanidad feliz! El mejor de los mundos. El único gasto que habrá será en consoladores.

EMPERADOR.—*(Madre.)* Doctor, déjeme verla.

EMPERADOR.—*(Doctor.)* Ahí la tiene.

EMPERADOR.—*(Madre.)* Qué guapa... qué bonita... qué encantadora. Su mismísima cara. ¡Qué feliz voy a ser! Yo misma le haré los pañales. *(Apoya la cabeza sobre la mano y mira a la niña canturreando.)* Su mismísima cara..., tan bonita, tan adorable... Su mismísima cara.

EMPERADOR.—*(Doctor.)* ¿La mismísima cara, de quién?

EMPERADOR.—*(Madre.)* La mismísima cara del reloj de la Catedral. Si el reloj riera, reiría como ella. En vista de ello, la llamaré Genoveva de Bravante.

EMPERADOR.—*(Doctor.)* ¿Qué profesión va a darle?

EMPERADOR.—*(Madre.)* Kinesiterapeuta, que es lo más fino. Sus manos darán masaje a todas las espaldas, a todos los vientres, a todos los muslos de los hombres de la tierra. Será la reencarnación de María Magdalena. *(Breve pausa. El* EMPERADOR *se dirige en otro tono al «Emperador»/espantapájaros.)*

EMPERADOR.—Emperador, Emperador, ya ve cómo es el Arquitecto. ¡Me odia! ¡Me deja abandonado! Se va a buscar aventuras por esas islas en que Dios sabe lo que encontrará. *(Se pone a cuatro patas.)* Soy un camello... un camello sagrado del desierto. Súbase sobre mí, Emperador, y le haré conocer los más fascinantes mercados de machos y hembras de todo el Occidente. Pégueme con la fusta imperial, para que mi paso sea riguroso y eficaz y para que su divina persona pueda pronto purificarse al contacto de los enhiestos cuerpos jóvenes y potentes de los mancebos y mancebas... *(Incorporándose.)* ¡Qué bestia es!... ¡en piragua!... en nuestro siglo de progreso, de civilización, de platillos volantes, viajando en piragua... Si levantaran la cabeza Ícaro, Leonardo de Vinci, Einstein... ¿Y para qué hemos inventado los helicópteros? *(Pausa.)* Novecientos noventa y nueve. Si no es por el borracho, automáticamente tengo diez puntos más. Partida. Dios. Los ángeles, el cielo y el infierno, los buenos y los malos, el santo prepucio y sus milagros. Las hostias que suben al cielo con cadenas de oro, el concilio decidiendo el tamaño de las alas de los ángeles. Las imágenes de la Virgen que llora lágrimas de sangre. Las piscinas y las fuentes milagrosas. El burro, la vaca y el pesebre. *(Pausa. Recitando:)* «Todo lo que hay de atroz, de nauseabundo, de fétido, de rastrero, se encierra en una palabra: Dios»[12]. *(Ríe.)* Ése también es de los míos. ¡Vaya tío! *(Pausa.)* ¿Usted cree, Emperador, con todo el respeto que se merece su persona, con toda la humildad con que le aseguro... ¡Cómo está el mundo! *(Gritando.)* ¡Escarabajos, traedme inmediatamente un cetro de oro para el Emperador! *(Espera. No ocurre nada. Investiga inquieto.)* Les tengo muy mal enseñados. Hacen lo que quieren. ¿Cómo quiere que emplee el gato de siete colas para castigarles? ¡Ah, la educación moderna... el progreso... la Sociedad Protectora de Animales...! Todo anda manga por hombro. Un día bajarán a la tierra los platillos volantes...

EMPERADOR.—*(Hablando a un marciano; mima.)* Señor marciano... *(Aparte:)* En el supuesto de que sean marcianos. *(Al marciano.)* Bienvenidos a la Tierra.

EMPERADOR.—*(Voz de marciano.)* Glu-gli-tro-piiii.

EMPERADOR.—*(Con su voz. Al* EMPERADOR.) Los marcianos hablan así. *(Al marciano.)* ¿Cómo dice.?

EMPERADOR.—*(Marciano.)* Tru-tri-lop-pooeijilop.

EMPERADOR.—*(Al Emperador.)* ¿Lo ves? Me habla del sistema de educación. *(Al marciano.)* Sí, sí le comprendo. Tiene usted razón; con estos sistemas que tenemos, vamos al caos.

EMPERADOR.—*(Marciano.)* Flu-flu-flu-flu-flu-ji.

EMPERADOR.—¿Que me quiere llevar a su planeta? No, no, por favor, quiero quedarme aquí.

---

[12] Georges Darien, *Le voleur.*

EMPERADOR.—*(Marciano.)* Tri-clu-tri-clu-tri-clu.

EMPERADOR.—*(Emperador.)* ¿Que soy el terráqueo que más le divierte? *(Rubor.)* ¿Yo? ¡Pobre de mí! Pero si soy como los demás.

EMPERADOR.—*(Marciano.)* Plu-plu-plu-plu-plu-ji.

EMPERADOR.—*(Emperador.)* ¿Pero no me irán a encerrar en una casa de fieras?

EMPERADOR.—*(Marciano.)* Pli-pli.

EMPERADOR.—¡Ah, menos mal!

EMPERADOR.—*(Marciano.)* Clu-clu-clu-ñi-po.

EMPERADOR.—¿Que la hija del monarca de Marte me ama? ¿A mí?

EMPERADOR.—*(Marciano.)* Lo-qui-lo.

EMPERADOR.—Oh, discúlpeme, le había entendido mal. Si usted es muy mona... Un poco, vamos, un poco...

EMPERADOR.—*(Marciano.)* Gri-gri-tro.

EMPERADOR.—¡Qué gracioso! ¿Que nosotros le parecemos a usted raros y feos? Pues no lo dirá por mí; lo dirá por los demás. La gente se lava tan poco ahora... Pero no insista, no iré, ni a su casa de fieras ni a su ciudad. *(Levantando el tono hasta ponerse en cólera.)* Quiero quedarme en la tierra por mucho que me diga que si estamos tan atrasados espiritualmente y que si nuestro arte de vivir es rudimentario. Aunque me afirme que a lo único que hemos llegado es a soportar nuestros dolores. Por muy bueno que sea Marte, estoy seguro, y eso que no lo conozco, que no hay nada tan bueno como la Tierra.

EMPERADOR.—*(Marciano.)* Tri-tri-gri.

EMPERADOR.—¿Que voy a morir en una guerra en medio de atroces quemaduras y radiaciones? Pues óigame bien: aunque ni conozco ni quiero conocer Marte, prefiero un millón de veces más vivir en la Tierra, con nuestras guerras y nuestras cosas, antes que irme a su planeta... *(Irónico.)* de ensueño. *(Cambiando de tono.)*

EMPERADOR.—*(Al* EMPERADOR.) Fíjese que todas las mañanas le da la manía de lavarse en esa fuente tan helada. Y yo le digo: Arquitecto, que vas a coger una pulmonía... y él, nada, ahí está, bajo el chorro, ya caigan chuzos, duchándose, rociándose con esa agua y lo que es peor, que quiere que yo me duche también. De los cuarenta para arriba... Ya no sabe contar; no comprende nada... De los cuarenta para arriba... Por cierto, que nunca me ha dicho la edad que tiene. ¿Cómo lo puede saber él, me digo yo? ¿Qué edad tendrá? ¿Veinticinco, treinta y cinco?... ¡Es tan poeta! ¿Podría ser mi hijo? ¡Quizá! ¡Mi hijo! Hubiera debido tener un hijo. Le hubiera enseñado a jugar al ajedrez a los tres o a los cuatro años; y piano. Nos hubiéramos paseado por los parques. Con un hijo se sacan muchas novias. ¡Menudos flirts! *(Se para; gritando:)* ¡Arquitecto... vuelve! No remes más, que es malo para los pulmones... Te va a dar asma. *(Al* EMPERADOR.) Hablarle de asma, a él. Un fulano que se ducha todos los días en la fuente más fría de la isla, siempre en la misma; no digo yo que en verano, bien abrigado, con una estufa cerca, cuando calienta bien el sol, a las doce, no se pueda pegar uno una duchita... Pero claro, tomando precauciones. Pero él va a lo loco. Tan joven y ya con unas manías... Y luego eso de cortarse el pelo una vez por año, a la llegada de la primavera. ¿Y cómo lo calcularía el tío sin mí? *(Se para en el centro gritando):* ¡Arquitecto... Arquitecto! Seremos amigos, ven. Fabricaremos juntos una casa... construiremos palacios con laberintos, cavaremos piscinas en las que vendrán a bañarse las tortugas del mar; te regalaré un automóvil para que recorras todos mis pensamientos... *(Muy triste.)* Te obsequiaré con pipas de las que saldrá un humo líquido y cuyas volutas se convertirán en relojes despertadores; secaré el pantano para que crezca del fango un ejército de flamingos con coronas de papel de plata; te prepararé los más ricos manjares y beberás licores hechos con la esencia de mis sueños. Arquitecto, ven... *(Casi llorando. Baja la cabeza.)* Seremos felices. *(De pronto repuesto, grandioso.)* Le imagino, Emperador... imagino su despertar. La Televisión de Asiria retransmitiendo en primer plano los primeros parpadeos de sus pestañas sobre sus ojos cerrados, el lento despertar... ¡En todos los pueblos y aldeas llorarían las mujeres al verle! *(Otro tono.)* No, más de treinta y cinco no tiene... Treinta y cinco, es lo máximo que le doy. Es tan niño, tan poeta... tan espiritual. ¡Qué idea, la de nombrarle arquitecto! *(De pronto.)* ¡Emperador!... Podemos saber su edad, podemos calcularla... *(Va a la cabaña.)* Aquí tiene su saco. *(El espectador no ve lo que hace; sale.)* Se lo voy a explicar... verá qué sencillo. Él se corta el pelo una vez por año, por no sé qué líos de superstición y maleficios. Lo envuelve en una gran hoja y lo mete en un saco. Pues bien, no tengo nada más que contar la cantidad de hojas que hay para saber los años que tiene. ¿Se da usted cuenta, Emperador, qué ideas tan brillantes tengo? Mi madre ya lo decía: ¡Qué inteligente es mi hijo! *(Entra en la cabaña.)* Uno, dos, tres... *(Con inquietud)* once... doce... trece... *(Largo silencio. Sale muy asustado.)* ¡Pero no es posible! Hay cientos de sobres... ¡no será que esa fuente...! ¡Cientos de hojas!... Lo menos mil. Duchándose todos los días. Mil, quizá. *(Entra. Largo rato en la cabaña. Sale.)* Y todos con pelos, sus pelos, algunos ya medio podridos... La fuente de la juventud. *(Muy asustado.)* Pero, ¿cómo?... nunca me dijo... y he reconocido bien su pelo, siempre el mismo color, el mismo tono... ¿Cómo es que...? *(Asustado, sale corriendo. Silencio. Entra el* ARQUITECTO.*)*

ARQUITECTO.—¡Emperador! *(El* EMPERADOR *le mira desde el otro extremo del escenario, amedrentado.)*

EMPERADOR.—Dime, ¿cuántos años tienes?

ARQUITECTO.—No sé. Mil quinientos... dos mil... diez mil... No sé bien. No sé bien.

LENTAMENTE CAE EL TELÓN

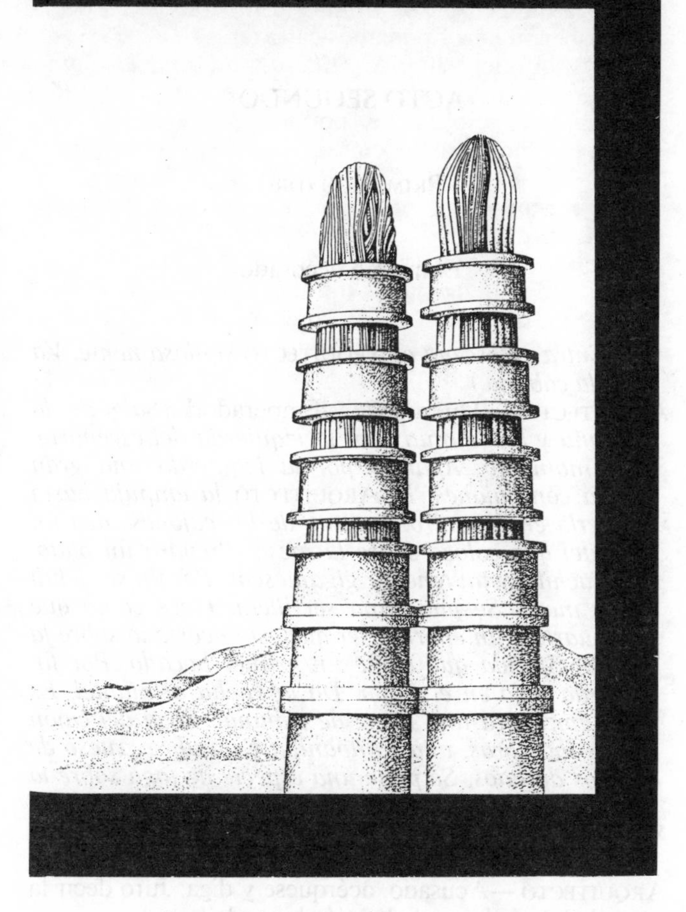

Programa del National Theatre (Londres).

ACTO SEGUNDO

PRIMER CUADRO

El mismo decorado

(Entra en escena el ARQUITECTO *sigilosamente. Va a la cabaña.)*

ARQUITECTO.—¿Duermes?... ¡Emperador! *(Sale de la cabaña y luego mutis por la izquierda del escenario. Un momento. Aparece por la izquierda una gran mesa con cajones. El* ARQUITECTO *la empuja hasta ponerla en el centro. De uno de los cajones saca un mantel que coloca sobre la mesa. Prepara un plato, un cuchillo y un tenedor gigantescos. Por fin se sienta a la mesa. Se pone una servilleta. Hace como que descuartiza un enorme ser que está acostado sobre la mesa. Simula que come un primer bocado. Por fin guarda todo en el cajón. Da la vuelta al mantel. Es un tapiz para una mesa de tribunal. Saca del cajón unas máscaras, una campanilla y un libro grueso de lomos dorados. Se pone una especie de toga sobre la cabeza y una máscara de juez. Toca la campanilla.)*

VOZ DEL EMPERADOR.—¿Qué pasa, Arquitecto? *(Sale de la cabaña.)*

ARQUITECTO.—Acusado, acérquese y diga: Juro decir la verdad, toda la verdad y sólo la verdad.

EMPERADOR.—*(Levantando la mano.)* Lo juro. *(En otro tono.)* ¿Y para esto me despiertas a esta hora?

ARQUITECTO.—*(Quitándose la máscara un instante.)* No quiero apartes, ¿me oyes? *(Poniéndose inmediatamente la máscara de juez.)* Acusado, puede sentarse si lo desea. Procure ser preciso en sus declaraciones, aquí estamos para ayudar a la justicia y para que toda la verdad se haga sobre su vida y sobre el delito que se le reprocha.

EMPERADOR.—¿Qué delito?

ARQUITECTO.—¿El acusado está casado?

EMPERADOR.—Sí, señor.

ARQUITECTO.—¿Cuánto tiempo hace?

EMPERADOR.—No sé bien... diez años...

ARQUITECTO.—Recuerde que todo lo que diga puede ser utilizado contra usted.

EMPERADOR.—... Pero ustedes me acusan..., vamos... se refieren a lo de mi madre...

ARQUITECTO.—Las preguntas las hace el tribunal.

EMPERADOR.—Pero si mi madre desapareció.

ARQUITECTO.—Aún no hemos llegado ahí.

EMPERADOR.—Pero... ¿tengo yo la culpa si ella se marchó Dios sabe dónde?

ARQUITECTO.—Tendremos en cuenta todas las circunstancias atenuantes que pueda suministrar.

EMPERADOR.—¡Es el colmo! *(En otro tono.)* Arquitecto, no sigas jugando: ¡me hace mucho daño el tono en que hablas! ¿Sabes? *(Muy cariñoso.)* Ya sé hablar con los pies como me has enseñado. Verás. *(Se acuesta y con los pies en alto comienza a moverlos.)*

ARQUITECTO.—*(Se quita la máscara y el birrete.)* ¡Ya estás con tus cochinadas!... *(Mueve de nuevo los pies.)* Siempre lo mismo.

EMPERADOR.—¿Me has entendido?

ARQUITECTO.—Todo. Tú eres el que no comprendes nada.

EMPERADOR.—Todo.

(El ARQUITECTO *se tumba tras la mesa. Sólo emergen sus piernas desnudas que se mueven.)*

ARQUITECTO.—¿A que no eres capaz de entender lo que digo?

(El EMPERADOR *se ríe.)*

EMPERADOR.—Más despacio. Verás como lo leo todo. «Aquí le falta poder a mi imaginación, que pretende guardar el recuerdo de tan alto espectáculo»[13]. *(El* ARQUITECTO *sigue moviendo los pies. El* EMPERADOR *traduce:)*

EMPERADOR.—«Como dos ruedas, obedecen a una misma acción mi pensamiento y mi deseo, dirigidos con el mismo consentimiento van más lejos por el amor sagrado que pone en movimiento al sol y a las estrellas»[14]. *(El* ARQUITECTO *emerge furioso. Se pone máscara y birrete.)*

ARQUITECTO.—Todo lo sabrá el tribunal. El primer testigo que vamos a llamar va a ser su propia esposa.

EMPERADOR.—Por favor, no la mezclen en esto. Ella no sabe nada. Nada podrá decirles.

ARQUITECTO.—Silencio. Que entre la testigo primero. *(El* EMPERADOR *se viste de su esposa, se pone una máscara.)*

ARQUITECTO.—¿Es usted la esposa del acusado?

EMPERADOR.—*(Con voz de su esposa.)* Sí, señor.

ARQUITECTO.—¿Se querían ustedes?

EMPERADOR.—*(Esposa.)* Oh, ¿sabe usted? Hace muchos años que nos habíamos casado.

ARQUITECTO.—¿Le quería usted a él?

EMPERADOR.—*(Esposa.)* Le veía tan poco tiempo... Salía muy de mañana y volvía muy tarde; últimamente nunca hablábamos.

---

[13] Dante, *La Divina Comedia, Paradiso:*
Canto XXXIII, 1, 142-143.
A l'alta fantasia qui mancò possa;
Ma già volgeva il mio desero e 'l velle...

[14] Dante, *La Divina Comedia, Paradiso:*
Canto XXXIII, 1, 144-145.
Si come rota ch'igualmente è mossa,
L'Amor che move il sole e l'altre stelle.

ARQUITECTO.—¿Siempre fue así?
EMPERADOR.—*(Esposa.)* Oh, no. Al principio estaba como loco. Decía que sabía volar. Hablaba sin parar. Soñaba que sería emperador.
ARQUITECTO.—¿Y más tarde?
EMPERADOR.—*(Esposa.)* Ya ni siquiera me pegaba.
ARQUITECTO.—¿Le pegó en alguna época?
EMPERADOR.—*(Esposa.)* Sí. Para afirmarse como hombre. Para vengarse de las mil y una humillaciones que sufría. Al final, cansado de la oficina, ya no le daba tiempo.
ARQUITECTO.—¿Cuáles fueron sus sentimientos hacia él?
EMPERADOR.—*(Esposa.)* Desde luego nunca hubo el amor loco, claro está. Le soportaba.
ARQUITECTO.—¿Él se daba cuenta de todo esto?
EMPERADOR.—*(Esposa.)* Claro, aunque no es ningún lince y a pesar de que su entusiasmo le lleva a errores monstruosos, creo que no se hacía ilusiones respecto a mí.
ARQUITECTO.—¿Le engañó con otros hombres?
EMPERADOR.—*(Esposa.)* ¿Y qué quiere que hiciera todo el día sola? ¿Esperarle?
ARQUITECTO.—¿Tuvieron hijos?
EMPERADOR.—*(Esposa.)* No.
ARQUITECTO.—¿Era una idea preconcebida?
EMPERADOR.—*(Esposa.)* Más bien, un olvido.
ARQUITECTO.—¿Cuál hubiera sido su deseo secreto?
EMPERADOR.—*(Esposa.) (Romántica.)* Tocar el laúd, con traje de época, mientras un caballero, de estilo Maquiavelo, me acariciara, quizá besara mi espalda desnuda, por el gran escote de mi corpiño. También hubiera deseado, a pesar de no tener ninguna inclinación a la inversión, un harén de mujeres, que me cuidaran y me... acariciaran... También me hubiera gustado tener gallinas amaestradas y mariposas que hubiera llevado con una cinta; qué sé yo, mil cosas. También creo que me hubiera gustado ser cirujana. Me imagino operando, toda vestida de blanco, con

una gran ventana tras de mí. *(Breve pausa.)* De todas formas, él no quería nada más que a su madre.

ARQUITECTO.—¿Quién él?

EMPERADOR.—*(Esposa.)* Mi marido... ¿Puedo hacerle una revelación?

ARQUITECTO.—Diga; el tribunal está aquí para oírle.

EMPERADOR.—*(Esposa.) (Tras mirar a todas partes hasta asegurarse que nadie la oía.)* Estoy segura de que se casó conmigo tan sólo por fastidiar a su madre.

ARQUITECTO.—¿La odiaba?

EMPERADOR.—*(Esposa.)* La odiaba a muerte. Y la quería como un ángel: sólo vivía para ella. En un hombre de su edad, ¿cree usted que es normal que esté día y noche colgado de las faldas de su madre? No es una esposa lo que necesitaba, sino una madre. En sus momentos de odio contra ella, hacía cualquier cosa para molestarla: hasta casarse. Yo fui el objeto de su venganza. *(El* EMPERADOR *se quita la máscara de esposa.)*

EMPERADOR.—Te has vuelto loco. ¡Te has vuelto loco!

ARQUITECTO.—*(Se quita la máscara de Presidente del tribunal.)* ¿Pero qué te pasa?

EMPERADOR.—Te has vuelto loco como él...

ARQUITECTO.—Me das miedo.

EMPERADOR.—¿Yo?

ARQUITECTO.—¿Quién?

EMPERADOR.—¿Quién, quién?

ARQUITECTO.—¿Cómo quién? ¿Quién se volvió loco como yo?

EMPERADOR.—Dios.

ARQUITECTO.—¡Ah!

EMPERADOR.—¿Pero cuándo? ¿Antes o después?

ARQUITECTO.—¿Antes de qué?

EMPERADOR.—Digo que cuándo se volvió loco. ¿Antes o después de la creación?

ARQUITECTO.—¡Pobre tío!

EMPERADOR.—Seguro que está allí: en el mismísimo centro geométrico, mirando todas las bragas de las mujeres.

ARQUITECTO.—Nunca hemos mirado.
EMPERADOR.—Vamos a ver por si acaso. Me lo imagino tranquilamente en el centro rodeado por todas partes por la tierra, como un gusano, completamente loco y tomándose por un transistor.
ARQUITECTO.—¿Levanto la tierra?
EMPERADOR.—Eso, eso.

(El ARQUITECTO *levanta un trozo de tierra como si fuera un cajón. Los dos miran al interior. Se acuestan para ver mejor.)*

Voy a por los prismáticos.

(Vuelve con ellos. Miran hacia el centro con curiosidad.)

No se ve nada. ¡Mira que está oscuro!

(El ARQUITECTO *asiente y se dispone a cerrar la tierra. De pronto, muy inquieto.)*

Oye, ¿estás seguro que nadie nos puede ver?
ARQUITECTO.—Pues claro que no.
EMPERADOR.—¿Crees que la cabaña está bien camuflada?
ARQUITECTO.—Seguro.
EMPERADOR.—No olvides los satélites espías, los aviones con cámaras fotoeléctricas, el radar, los radiestesistas...
ARQUITECTO.—No te preocupes, hombre, nadie nos descubrirá aquí.
EMPERADOR.—Y el fuego, ¿lo has apagado bien para que no salga nada de humo?
ARQUITECTO.—Hombre, algo de humo sale algunas veces.
EMPERADOR.—¡Desgraciado! ¡Nos descubrirán, nos descubrirán!
ARQUITECTO.—Qué va, hombre, qué va.
EMPERADOR.—Nos descubrirán tan sólo por tu culpa, por tus negligencias. Quién te manda a ti comer caliente. Especie de refinado babilónico. ¿No has oído

hablar de Sodoma y Gomorra? Merecerías que Dios nos arrasara como arrasó aquellas ciudades que habían caído en el vicio. Comiendo caliente, haciendo humo. ¡Ignoras lo higiénicos que son los fiambres! ¡Especie de calienta-comidas, de hervidor de nabos, de come-sopas y zampa-tortas! Que caiga sobre ti toda mi cólera de Aquiles.

ARQUITECTO.—Bueno, ¡de acuerdo!

EMPERADOR.—*(De rodillas.)* Di, ¿me quieres? *(El* ARQUITECTO *se instala rápidamente en la mesa.)*

ARQUITECTO.—*(Se pone la máscara de Presidente del Tribunal.)* Que pase el siguiente testigo. El hermano del acusado. *(El* EMPERADOR *se pone la máscara de hermano.)*

EMPERADOR.—*(Hermano.) (Muy tranquilo.)* Ya sé, que debo jurar que digo la verdad... ¿y cómo no? En mi profesión tenemos un gran respeto por la justicia; ¿no es eso? Mi hermano, el po-e-ta...

ARQUITECTO.—Hay alguna ironía en sus palabras.

EMPERADOR.—*(Hermano.)* ¿Alguna? Si fuera poeta lo sabríamos todos. Es un oficio público, ¿no? Hubiera salido en la «tele». Digo yo. El poeta. Siempre en las nubes. ¿Sabe su Alteza, o su excelencia —discúlpeme—, en qué se divertía cuando era niño el poeta?

ARQUITECTO.—Diga, aquí estamos para conocer toda la verdad.

EMPERADOR.—*(Hermano.)* Con permiso de las señoras, le diré que mi hermano tenía una habilidad que ejercía en presencia de media escuela. Beber los orines de sus compañeros de clase.

ARQUITECTO.—Aunque el hecho en sí puede tener una cierta gravedad, ¿no cree usted que...?

EMPERADOR.—*(Hermano.)* Discúlpeme que le corte la palabra. Si esto no tiene una gran gravedad, ¿qué podrá pensar de lo que quiso hacer conmigo? Se lo explicaré. *(El* EMPERADOR *se quita rabiosamente la máscara.)*

EMPERADOR.—*(El mismo.)* No es eso. No metas a mi hermano en esto, te lo prohíbo. Mi hermano es un patán, que no comprende nada. No tienes que hacerle hablar, que se marche. Estás traicionándome. Además, ya... No juego más. Se acabó el juicio. *(Se sienta en el suelo y patalea furioso.)*

ARQUITECTO.—*(Tocando la campanilla.)* Nada de niñerías; al proceso, al proceso. No quiero interrupciones. *(El* EMPERADOR *deja de patalear y muy dignamente se incorpora, muy enfático.)*

EMPERADOR.—*(Cual Cicerón.)* «Quosque tandem abutere Catilinam patientiam nostram», o «pacienciam meam». «Meam.» Mi paciencia. Sí. *(Declamatorio.)* Hasta cuándo, Catilina, estarás abusando de mi paciencia. Nuestra patria, Roma[15]... *(Cortando, en otro tono familiar.)* Eres un cabrón. Te lo consiento todo, menos interrogar a mi hermano. Mi hermano es un animal acuático. Próximo al caimán, al tiburón y al hipopótamo. Le imagino en las verdes regiones indómitas, medio nadando a la busca de una presa. Y yo, como el ángel exterminador, mirando sus evoluciones. Observa su cara y la mía. *(Se para.)* Arquitecto, haremos de Asiria el país de vanguardia; a nuestra imagen y semejanza; los países subdesarrollados vivirán al abrigo de la miseria.

ARQUITECTO.—*(Quitándose la máscara.)* Emperador, pienso que...

EMPERADOR.—¡Calla, desgraciado! Oye el viento de los siglos proclamando nuestra obra imperecedera. *(Silencio de ambos.)* Desde lo alto de estas... *(Duda.)* Tú serás el Arquitecto, el Arquitecto supremo, el gran organizador, un dios de bolsillo como el que dice. Y frente a ti, sosteniéndote, el gran Emperador, modestamente, yo mismo dirigiendo los destinos de Asiria y de la humanidad hacia un porvenir feliz.

ARQUITECTO.—Siento como si un gran ojo...

---

[15] «Quousque tandem abutere Catilina patientia nostra», *In Catilinam* (I, 1), de Cicerón. Significa «Cuanto tiempo, Catilina, abusarás de nuestra paciencia.»

EMPERADOR.—*(Muy inquieto.)* Yo también... Un gran ojo de mujer...
ARQUITECTO.—Eso es.
EMPERADOR.—Nos está vigilando.
ARQUITECTO.—Sí. ¿Por qué?
EMPERADOR.—Mírale. *(Miran al cielo.)* Preside nuestro presente. Mira qué pestañas tan largas y tan arqueadas... *(Violentísimo.)* Cruel Desdémona, como las hienas del desierto, vete lejos de nosotros. *(Miran desesperados.) (Al* ARQUITECTO.) No se mueve.

(El ARQUITECTO *toca violentamente la campanilla y se pone la máscara. El* EMPERADOR *hace lo mismo.)*

ARQUITECTO.—Testigo, nos iba a contar lo que hacía su hermano con usted.
EMPERADOR.—*(Hermano.)* Mi hermano, el po-e-ta se divertía cuando yo tenía sólo diez años y él quince en pervertirme, en violarme y en obligarme a violarle a él.
EMPERADOR.—*(Arrancándose la máscara.)* Eran cosas de niños sin mayor importancia.
ARQUITECTO.—Silencio, que siga hablando el testigo.
EMPERADOR.—*(Hermano.)* Como lo oye, ¿quiere que le haga un dibujo? Le contaré cómo pasaba.
EMPERADOR.—*(Furioso. Sin máscara.)* Basta, basta, ya es suficiente.
ARQUITECTO.—El tribunal impone silencio. Que siga hablando el testigo.
EMPERADOR.—*(Hermano.)* Esperaba a que mi madre se hubiera ido. Nos quedábamos solos en casa y él llenaba la mitad del baño con aceite de oliva y así comenzaba el juego. Luego venía lo más gracioso. Cuando todo había terminado, él se ponía a tiritar y a darse golpes contra la bañera. Y aún recuerdo que un día, al terminar, se hizo un corte profundísimo en una mano y se rociaba su sexo con la sangre mientras canturreaba una canción religiosa al mismo tiempo que lloraba. *(Se quita la máscara y comienza a canturrear: Mete la cabeza en la tierra.)*

Dies-irae, dies illa[16].
El que muere se las pira.
Dies-irae, dies illa.
Me cago en Dios y en su sobrina.

ARQUITECTO.—*(Quitándose la máscara de Presidente del Tribunal y colocándose la máscara de madre del* EMPERADOR.) Hijo mío, ¿qué haces ahí llorando y blasfemando?

EMPERADOR.—*(Niño.)* Dies irae, dies illa...

ARQUITECTO.—*(Madre.)* Estás cubierto de aceite. ¿Pero qué has hecho?

EMPERADOR.—*(Niño.)* Dies irae, dies illa... Los muertos se mueren... de cólera...

ARQUITECTO.—*(Madre.)* Hijo mío, soy yo, mamá, ¿no me reconoces? Eres un niño, ¿cómo piensas en morir? ¿Y qué te pasa? estás ensangrentado. Te has hecho sangre ahí. Tenemos que llamar a un médico.

EMPERADOR.—*(Niño.)* Mamá, quiero que me compres un pozo muy hondo, un pozo seco y quiero que me metas en él y que todos los días vayas un instante a llevarme lo indispensable para que no muera.

ARQUITECTO.—*(Madre.)* ¡Hijo mío! Qué cosas dices.

EMPERADOR.—*(Niño.)* Sólo los domingos me pondrás un momento la radio para conocer el resultado de los partidos de baseball. ¿Lo harás?

ARQUITECTO.—*(Madre.)* Hijo mío, ¿qué has hecho para estar tan triste?

EMPERADOR.—*(Niño.)* Mamá... he pervertido...

ARQUITECTO.—*(Madre.)* ¿A tu hermano?

EMPERADOR.—*(Levantándose violentamente.)* Señor Presidente del Tribunal. *(El* ARQUITECTO *se pone la máscara de Presidente.)*

EMPERADOR.—*(Enfático.)* Con la venia de la sala, quiero asumir yo mismo mi defensa. Un gran poeta ha dicho: «Canallitas o canallazas, todos somos canallas.» He aquí la gran verdad. Quisiera saber en nombre de quién me juzga usted.

---

[16] Dies irae, dies illa: del *Requiem:* «Día de ira, día de cólera.»

ARQUITECTO.—Somos la justicia.

EMPERADOR.—La justicia, ¿qué justicia? ¿Qué es la justicia? La justicia son una serie de señores como usted y como yo que la mayoría de las veces escapan a ella gracias a la hipocresía o a la astucia. Juzgar a alguien por tentativa de crimen, ¿quién no ha deseado matar a alguien? Y además no quiero hacer como los demás. Olvido todos los consejos. Olvido que me han dicho que llore para causar buena impresión, que tenga cara de arrepentido. Todos esos consejos me traen sin cuidado. Y, en definitiva, ¿para qué sirven todos esos trucos de tribunal? Para que la gran comedia de la justicia siga en pie. Si yo lloro o pongo cara de arrepentido, ustedes no creerán ni en mis llantos ni en mi cara de arrepentido, pero habrán visto que colaboro al guiñol y me lo tendrán en cuenta a la hora de juzgar. Ustedes están aquí para darme una lección: pero bien saben que la lección se la pueden dar a cualquiera comenzando por ustedes mismos. Me río de sus tribunales, de sus jueces de zarzuela, de sus pretorios de marionetas, y de sus cárceles de venganzas. *(De pronto el* ARQUITECTO *se quita la toga y la máscara, y dice:)*

ARQUITECTO.—*(Dando palmadas.)*

Con Alicia me fui.
con Alicia volví,
al último que llegue,

(Muy lentamente y al mismo tiempo preparándose para correr.) le sal-drán cuer-nos. *(Salen corriendo a toda velocidad de escena.)*

VOZ DE EMPERADOR.—Haces trampas. Estabas preparado. *(Se oyen de lejos risotadas, caídas. Al poco tiempo entra en escena el* ARQUITECTO.)

ARQUITECTO.—Aquí te espero, comiéndome un huevo de dromedario, rociado de salsa de faisán. No tengas miedo, no te voy a torear. ¡Eh, toro! ¡Eh, toro!

VOZ DEL EMPERADOR.—Mummm, mummm.

ARQUITECTO.—Un par de cuernos le salen hasta a las

personas más distinguidas. *(Entra el* EMPERADOR *con un par de cuernos.)*

EMPERADOR.—*(Quejumbrón.)* ¡Pensar que hace años eras como una abuela para mí! Me querías, no podías hacer nada sin mí. Yo te lo enseñé todo. Me has perdido el respeto. Y de qué manera. Si mis antepasados levantaran la cabeza. Un par de cuernos. Un par de cuernos que me ha colocado el señor por arte de birlibirloque y por qué: porque llegué tras él, al abeto del calvero. *(Muge llorosamente.)*

ARQUITECTO.—¡Oh! ¡Toro de oro, de bronce, toro heredero de Taurus!

EMPERADOR.—¿Eres mi vaca sagrada?

ARQUITECTO.—¡Soy tu vaca y tu camella «enroresada»!

EMPERADOR.—Entonces ráscame en la pierna. *(Estira la pierna. El* ARQUITECTO *le rasca un instante.)*

EMPERADOR.—No. Así no. Mejor hecho. Por debajo. *(Le rasca mejor.)*

ARQUITECTO.—Ya no te rasco más. En cuanto te rasco te amodorras.

EMPERADOR.—¿Yo amodorrarme? ¿Es así como tratas a un emperador de Asiria? Un emperador de Asiria con cuernos por si fuera poco. Viva la monarquía.

ARQUITECTO.—Por la noche siempre ocurre lo mismo: «Ráscame un poco, hasta que me duerma.» Inmediatamente te pones a roncar estrepitosamente pero en cuanto dejo de rascarte: silencio, abres un ojo y dices «ráscame, aún estoy despierto».

EMPERADOR.—Quítame esos cuernos. No olvides que tengo mi dignidad. Además me pesan, y no puedo mover a gusto la cabeza.

ARQUITECTO.—¿Cómo quieres que desaparezcan, de una palmada?

EMPERADOR.—¡Estás loco! ¡De una palmada! ¡Jamás! ¿Sabes lo que he soñado esta noche?... Me azotaban y me quejaba. Una chica en mi sueño me dijo: «no te quejes». Le respondí: «¿no ve usted lo que sufro, lo muchísimo que padezco?». Ella se rió y me dijo: «¿Cómo puede sufrir si está en sueños? No es realidad.» Le dije que se confundía. Ella me respondió que para convencerse no tenía nada más que dar una palmada. Di una palmada y me encontré con las manos juntas entre las cuatro paredes de la cabaña, despierto, sentado sobre la cama.

ARQUITECTO.—Sí, ya te vi, y te oí.

EMPERADOR.—Mira, que si tú ahora das una palmada y... resulta que despierto de este sueño que pienso que es la vida... para... ¿Te imaginas conmigo en otro mundo...? Más vale lo malo conocido que lo bueno por conocer. *(De pronto él mismo con mucho aparato pone las manos como para dar una palmada. Duda unos instantes. Expectación. Va a dar la palmada. Lentamente, se para, encarándose hacia el* ARQUITECTO.*)* ¿Cuándo vas a hacer que me desaparezcan estos malditos cuernos, coño?

ARQUITECTO.—Bueno, hombre, no te pongas así. Si es muy sencillo. Frótate con el tronco de ese cocotero y se te caerán. *(Sale corriendo el* EMPERADOR.)

ARQUITECTO.—No, eso no. Sí, eso.

(Pausa. Rumores. El EMPERADOR *vuelve sin cuernos frotándose áun la cabeza con una hoja.)*

EMPERADOR.—¿No estoy más joven sin cuernos?

(El ARQUITECTO *furioso va a la mesa del Tribunal y se coloca la toga y la máscara de Presidente mientras dice:)*

ARQUITECTO.—Se acabaron las niñerías. *(Muy en su papel de Presidente.)* Tras haber oído al hermano del acusado, el tribunal convoca al siguiente testigo: Sansón. *(El* EMPERADOR *se pone la máscara de Sansón.)*

EMPERADOR.—*(Sansón.)* Juro decir toda la verdad.

ARQUITECTO.—¿Dónde conoció al acusado?

EMPERADOR.—*(Sansón.)* Jugando a la máquina, al tilt.

ARQUITECTO.—¿Sólo se veían allí?

EMPERADOR.—*(Sansón.)* No. Un día me pidió que le ayudara. Por fin me ofreció cenar y acepté.

ARQUITECTO.—¿Para hacer el qué?

EMPERADOR.—*(Sansón.)* Pues para hacer el ángel.
ARQUITECTO.—¿Hacer el ángel?
EMPERADOR.—*(Sansón.)* Sí, en una iglesia.
ARQUITECTO.—Cuéntenos por favor.
EMPERADOR.—*(Sansón.)* Cuando la iglesia estaba vacía, hacia las once de la noche, nos introducíamos en ella, en el coro, arriba. Él se desnudaba y se pegaba con cola diez o doce plumas en la espalda. Luego se ataba con una serie de cuerdas y se lanzaba al vacío. Se balanceaba unas cuantas veces haciendo el ángel o el arcángel y cuando ya estaba harto le izaba. Siempre perdía la mitad de las plumas. Me preguntó que qué pensaría el personal eclesiástico por la mañana al verlas por el suelo.
ARQUITECTO.—¿Conoció a su madre?
EMPERADOR.—*(Sansón.)* ¿Su madre? Pero si estaba aún más majareta que él. Menuda pareja. Un día muy seriamente me dijo que si me cargaba a su madre...
ARQUITECTO.—¿El acusado?[17]
EMPERADOR.—*(Sansón.)* Sí, el acusado me dijo que si me cargaba a su madre me iba a dar el oro y el moro...
ARQUITECTO.—Usted no aceptó, claro.
EMPERADOR.—*(Sansón.)* Ni que yo fuera un criminal. Lo del angelito de acuerdo, una partida de tilt de vez en cuando ¿por qué no? Pero de ahí a matar a... Además, luego había que verles, un día estaban en el cine. Les vi por casualidad, cualquiera hubiera dicho que era una pareja de enamorados.
ARQUITECTO.—Muchas gracias por sus precisiones. El tribunal desea oír de nuevo a la esposa del acusado. *(El* EMPERADOR *cambia de máscara.)*
EMPERADOR.—*(Esposa.)* ¿Me llaman otra vez?
ARQUITECTO.—El tribunal desea conocer cuál es su sen-

---

[17] El segmento siguiente no aparece en la versión francesa:
EMPERADOR.—*(Sansón.)* ¿Su madre? Pero si estaba aún más majareta que él. Menuda pareja. Un día muy seriamente me dijo que si me cargaba a su madre...

timiento íntimo en cuanto a la naturaleza de las relaciones entre el acusado y su madre.

EMPERADOR.—*(Esposa.)* Ya se lo he dicho: se amaban, se odiaban. Según el momento.

ARQUITECTO.—¿Cree usted que hubiera algo equívoco, digamos incestuoso entre ellos?

EMPERADOR.—*(Esposa.)* En eso soy categórica: no lo creo en absoluto.

ARQUITECTO.—¿Ha oído lo que ha dicho el testigo anterior?

EMPERADOR.—*(Esposa.)* Habladurías. Mi marido era muy impetuoso, muy temperamental, muy fogoso. Pero nunca tuvo con su madre una relación incestuosa. Lo prueba que poco antes de que su madre desapareciera atravesaban una época de odio feroz, entonces su madre le pidió una entrevista a lo cual mi marido respondió diciéndole que aceptaba la entrevista con dos condiciones: Primera, que su madre le diera cada minuto que pasara con ella una suma elevada. Segunda, que —escribía—, «le masturbara con su boca de madre» a fin de que cometiera el mayor de los pecados. Eso decía, ¡fue siempre tan inocente!...

ARQUITECTO.—¿Y qué prueba esto?

EMPERADOR.—*(Esposa.)* Pues prueba claramente que nunca hubo nada equívoco entre ambos, si no no le pediría lo que acabo de decirle como algo excepcional. Ahora me acuerdo de algo que no sé si puede interesar al tribunal.

ARQUITECTO.—Diga. ¡Por favor!

EMPERADOR.—*(Esposa.)* Cuando ella le venía a ver las últimas veces, me pedía que le cubriera los ojos con esparadrapos y algodón. Y aun en ocasiones exigía hablar con ella, pero cada uno en una habitación. (EMPERADOR *arrancándose la máscara.)*

EMPERADOR.—¿A qué me vas a condenar? Dime.

ARQUITECTO.—Ojo por ojo y diente por diente.

EMPERADOR.—*(Muy triste, da una vuelta a la escena y se sienta en el suelo de espaldas al* ARQUITECTO.

Recoge su cabeza entre sus manos, se diría que llo-ra. El ARQUITECTO *le observa con disgusto. Luego, en vista de que la cosa parece seria, va hacia él. Le mira por todas partes. Se quita por fin la máscara.)*

ARQUITECTO.—¿Qué te pasa ahora?

(El EMPERADOR *gimotea.)*

ARQUITECTO.—Cálmate, hombre no es para tanto.

(El EMPERADOR *gimotea.)*

¿Quieres sonarte los mocos?

(El EMPERADOR *asiente con la cabeza.)*

ARQUITECTO.—*(Dirigiéndose hacia las altas ramas de un árbol que no ve el espectador.)* Árbol, dame una de tus hojas. *(En efecto, inmediatamente cae una de las hojas, bastante grande. El* ARQUITECTO *la coge.)*

ARQUITECTO.—Toma, suénate, ¡hala!

(El EMPERADOR *suena, tira con rabia muy lejos el pañuelo-hoja, y además se pone de espaldas más aún al* ARQUITECTO.*)*

ARQUITECTO.—¿Qué más quiere el señor?

(Gimotea.)

ARQUITECTO.—Bueno, ya sé. Es cierto. Eras el Emperador y eres el Emperador de Asiria, cuando te levantabas, por las mañanas, todos los trenes y las sirenas lanzaban sus gritos estruendosos para señalar al pueblo que te habías despertado. *(A ver qué pasa tras lo dicho. El* EMPERADOR *sigue sin hacer caso.)*

ARQUITECTO.—Diez mil esculturales amazonas desnudas venían a tu habitación...

EMPERADOR.—*(De pronto se levanta, infla su pulmón, como si se tratara de la caricatura de un actor de drama antiguo. De una grandilocuencia total:)*

Diez mil amazonas, que mi padre importaba directamente de las Indias Orientales acudían por la mañana desnudas a mi habitación y besaban la yema de mis dedos, mientras cantaban a coro la canción imperial que tenía como estribillo:

Viva nuestro emperador inmortal.
Que Dios le libre de todo mal.

¡Qué resonancias! Diez mil... *(En aparte.)* ¿Diez mil? Ni que mi habitación fuera un estadium. *(De nuevo grandilocuente.)* Mi vida ha sido siempre un espejo inmaculado de nobleza, un estilo, un ejemplo para las generaciones futuras, por venir y venideras. *(De nuevo se sienta en la piedra, deshecho.)*

EMPERADOR.—Tiene razón: intenté matar a mi madre. Sansón ha dicho la verdad. *(De pronto levantándose lleno de convicción y de fuerza.)* ¿Y qué? Intenté matarla, ¿y qué? Si te crees que me voy a acomplejar te confundes de medio a medio. Me trae sin cuidado. *(De pronto de nuevo está muy inquieto. De rodillas corretea hasta donde está el* ARQUITECTO.)

EMPERADOR.—Dime, ¿me seguirás queriendo a pesar de esto?

ARQUITECTO.—Nunca me habías hablado de esta tentativa de crimen.

EMPERADOR.—*(Levantándose, muy digno.)* Tengo mis secretos.

ARQUITECTO.—Ya veo.

EMPERADOR.—Si quieres que te diga la verdad: sólo quería a un ser: a mi perro lobo. Iba a buscarme todos los días. Nos paseábamos juntos: como un par de enamorados: Pegaso y Paris[18]. No tenía necesidad de despertador: era él que todas las mañanas venía a lamerme las manos. De paso esto me evitaba a veces lavármelas. Fue gracias a él por lo que perdí mi confianza en mi equipo de billar eléctrico. Me era muy fiel. ¿No se dice así? *(El* ARQUITECTO *se pone a cua-*

---

[18] Ninguna relación rara de mitología entre el caballo con alas y el rey.

tro patas con una correa en torno a su cuello y una caperuza de perro.)

ARQUITECTO.—Soy tu perro lobo de las islas.

EMPERADOR.—¡Eh, Chucho! ¡Busca, busca! *(El* ARQUITECTO *comienza inmediatamente a rascar en la arena como un perro lobo.)*

EMPERADOR.—A ver qué me descubre mi fidelísimo can. *(Mientras ladra el* ARQUITECTO *sigue rascando.)*

ARQUITECTO.—Guah: guah: *(Por fin extrae de entre la tierra una perdiz viva que toma en sus fauces y se lleva corriendo feliz. Vuelve inmediatamente. El* EMPERADOR *le acaricia con cariño. Le da golpecitos en el lomo.)*

EMPERADOR.—«Entre todas las criaturas, sólo el hombre puede inspirar un asco sin matices. La repugnancia que puede provocar un animal sólo es pasajera»[19]. *(El perro-*ARQUITECTO *aplaude feliz y ladra gozoso.)*

EMPERADOR.—Ese sí que era de los míos. Eso es, quédate a mi lado para siempre, como un perro, y te querré durante toda la eternidad, juntos recorreremos como el Cancerbero y Homero los más recónditos parajes del océano. *(Se vuelve ciego. Se pone gafas de ciego. Toma un bastón. El perro le guía.)*

EMPERADOR.—*(Ciego. Solemne.)* «Canta, oh musa mía, la cólera de Aquiles.» Esto me parece que ya lo he dicho. Una limosnita para este pobre ciego de nacimiento que no lo puede ganar. Una limosnita. Gracias, señora, es usted muy amable: que Dios le conserve la vida y la vista muchos años: una limosnita por amor de Dios. Por amor de Dios... Atiza, pues ahora que estoy ciego es cuando mejor veo a Dios. ¡Oh, Señor!, te veo con los ojos de la fe ahora que mi vista está ciega. ¡Oh, Señor, qué feliz soy! Siento, como santa Teresa, que me introduces una espada de fuego por el culo.

---

[19] Georges Darien, *Le Voleur.*

ARQUITECTO.—*(En lenguaje de perro.)* Por mis entrañas.

EMPERADOR.—Eso es, por mis entrañas, siento cómo introduces en mis entrañas una espada de fuego que me produce un gozo y un dolor sublimes. ¡Oh, Señor! Siento como ella, también, que los diablos juegan a la pelota con mi alma. ¡Oh, Señor! por fin he encontrado la fe. Quiero que toda la humanidad sea testigo de este acontecimiento. Quiero que mi perro también tenga la fe. Perro, dime, ¿tienes fe en Dios? *(Ladrido incomprensible del perro-*ARQUITECTO.*)*

EMPERADOR.—Especie de sarraceno apóstata, ¿no crees en Dios? *(Se dispone a pegarle.)*

EMPERADOR.—¡Oh, Señor! No te preocupes, haré que este perro tenga fe aunque tenga que matarlo a palos. *(Se dispone a pegarle, pero el perro se suelta. Él queda como un ciego dando bastonazos a derecha y a izquierda.)*

EMPERADOR.—Maldito. Ven a mi lado. Es la voz de la revelación de la fe. *(Da bastonazos por todos lados intentando pegar al perro que se ríe de él.)*

EMPERADOR.—Haré una cruzada de ciegos creyentes para ir a combatir a bayonetazo limpio a todos los perros ateos de la tierra. Maldito. Ven aquí. Ponte de rodillas conmigo que voy a rezar. *(Le pega bastonazos a derecha y a izquierda. El perro «le toma el pelo», ladra.)*

EMPERADOR.—Y aún te burlas de mí. Maldito coyote de la pampa. Pobre animal, no comprenderá jamás las excelsas virtudes del proselitismo. *(El* ARQUITECTO *se quita la caperuza y vuelve al Tribunal.)*

ARQUITECTO.—*(Presidente.)* Que pase el siguiente testigo. *(El* EMPERADOR *refunfuñando se quita sus gafas de ciego.)*

ARQUITECTO.—He dicho que pase el testigo siguiente: Doña Olimpia de Kant.

EMPERADOR.—*(Olimpia de Kant.)* ¿En qué puedo serles útil?

ARQUITECTO.—¿Conoció usted a la madre del acusado?

EMPERADOR.—*(Olimpia de Kant.)* ¿Cómo no iba a conocerla? Era mi mejor amiga. Desde niñas éramos amigas: nos habían expulsado del mismo colegio...

ARQUITECTO.—Cuente, cuente, ¿cómo es que las expulsaron?

EMPERADOR.—*(Olimpia de Kant.)* Cosas de niñas. Jugábamos desnuditas a los médicos, a tomarnos la temperatura, a hacernos operaciones hondas, a derramarnos tinteros de tinta lentamente de pies a cabeza..., en aquel tiempo, con aquellas costumbres tan viejotas, vaya usted a saber lo que se imaginaron. Claro que nos besábamos, ¿no nos íbamos a besar? Éramos dos niñas que nacían a la vida. El caso es que nos expulsaron del colegio.

ARQUITECTO.—¿Qué edad tenían?

EMPERADOR.—*(Olimpia de Kant.) (Sin querer responder.)* Ella era algo mayor que yo. Dos niñas, ya le digo. Juegos, nada más que juegos inocentes. Pero, en fin, supongo que no estamos aquí para hablar de esto.

ARQUITECTO.—Pero no carece de interés: ¿Qué edad tenía cuando la expulsaron?

EMPERADOR.—*(Olimpia de Kant.)* ¿Quién, yo? *(Muy grave.)* Apenas veinte años.

ARQUITECTO.—¡Oh! *(Silencio crispado.)*
Conocía, claro está, al acusado.

EMPERADOR.—*(Olimpia de Kant.)* Era el amor de su madre; no vivía nada más que para él. Y siempre creí que él la quería de la misma manera.

ARQUITECTO.—¿Nunca reñían?

EMPERADOR.—*(Olimpia de Kant.)* Todos los días y violentísimamente. Es lo propio del amor. Era corriente verles como una pareja de enamorados paseándose por un parque, o bien riñendo a gritos sin preocuparse para nada de quién pudiera oírles. Nunca hubiera pensado que la cosa pudiera llegar tan lejos.

ARQUITECTO.—¿Tan lejos?

EMPERADOR.—*(Olimpia de Kant.)* Dos días antes de que su madre desapareciera para siempre, de-sa-pa-re-cie-ra...

ARQUITECTO.—¿Qué quiere decir con esa ironía?

EMPERADOR.—*(Olimpia de Kant.)* Que yo creo que nadie «desaparece» si no se la hace desaparecer.

ARQUITECTO.—¿Se da cuenta de la gravedad de su presunción?

EMPERADOR.—*(Olimpia de Kant.)* Yo no me meto en nada. Lo que le decía es que días antes de que desapareciera ocurrió un suceso que ella me contó que merece que se narre aquí. Mientras dormía, su hijo se aproximó sigilosamente, colocó con todo cuidado un tenedor, sal, y una servilleta junto a la cama y con una cuchilla de carnicero, con todo sigilo, la levantó encima de la garganta de su madre y cuando le asestó el formidable hachazo que hubiera debido decapitarla, ella se separó. Al parecer al acusado en vez de sentirse mal, le dio un violento ataque... de risa. *(El* EMPERADOR *se para y ríe histéricamente. Tras haberse quitado la máscara de Olimpia de Kant.)*

EMPERADOR.—¡A la rica carne de madre! La carnicería modelo. El artículo de la semana. *(Ríe a carcajadas. De pronto se vuelve muy serio hacia el* ARQUITECTO.)

EMPERADOR.—*(Muy triste.)* Nunca te lo he dicho, pero ¿sabes? Cuando me voy lejos de ti... *(Muy alegre.)* Mira que poder haberle sacudido un hachazo y haberla convertido en filetes. Mi madre en rajitas. *(Triste de nuevo.)* Nunca te lo he dicho, pero si me alejo de ti cuando tengo necesidad de hacer *(muy digno)* mis «aguas mayores» es porque... *(ríe)* Mi madre, ¡qué caso! No habrás creído ni una palabra de lo que ha dicho Olimpia, doña Olimpia... *(Triste)*... Pues hoy lo sabrás. Hoy te diré la verdad. Me alejo de ti para blasfemar.

ARQUITECTO.—Pero ¿por qué? ¿No quieres blasfemar conmigo?

EMPERADOR.—*(Triste.)* No me obligues a causar escándalo. No olvides estas palabras históricas: «Si tu mano es causa de escándalo más vale que te la cortes.» «Si tu pie...»[20]. ¿Será por eso por lo que se ve tanto cojo esta época?

ARQUITECTO.—Nada de escándalos. Si quieres ahora mismo blasfemamos juntos.

EMPERADOR.—*(Inquieto.)* ¡Juntos! ¿Tú y yo blasfemar?

ARQUITECTO.—Claro, hombre, haría la mar de bien.

EMPERADOR.—Oye, y si blasfemáramos con música.

ARQUITECTO.—Muy buena idea.

EMPERADOR.—¿Cuál será la música que más joda a Dios?

ARQUITECTO.—Tú sabrás mejor que yo.

EMPERADOR.—Blasfemar con una marcha militar tiene que mortificarle de lleno. *(Muy triste.)* ¿Sabes lo que hago cuando me alejo? Defeco de la manera más distinguida y con el mayor recogimiento. Luego con lo hecho me sirvo de pintura y escribo «Dios es un hijo de puta». ¿Crees que un día Dios me convertirá en estatua de sal?

ARQUITECTO.—¿Es que ahora los convierte en estatua de sal?

EMPERADOR.—*(Grandioso.)* Desgraciado, no has leído la Biblia. ¡Qué barbaridad! Lo mismo te envía fuego del cielo, que inunda la tierra en menos que canta un gallo. ¡Ándate con ojo!

ARQUITECTO.—Bueno, ¿blasfemamos juntos o no?

EMPERADOR.—Pero cómo, ¿no te da miedo?

ARQUITECTO.—Pero si tú...

EMPERADOR.—No me recuerdes mis pecadillos de juventud. ¿Qué sabes tú de las flaquezas de la carne? Escúchame.

(Se pone en posición de cantante de ópera.)

«Me cago en Dios y en su divina imagen y en su omnipresencia.»
Di por lo menos tra-la-la-la. «Odio a Dios y a sus milagros.»

---

[20] Referencia a los evangelios de San Mateo (18:8) y San Marcos (9:44).

ARQUITECTO.—Trala-ra-la-la.
EMPERADOR.—*(Furioso.)* Bestia. ¿Cómo se te ocurre interrumpirme?
ARQUITECTO.—Pero si me lo habías pedido tú.
EMPERADOR.—Calla. ¿No veías que estaba inspirado? Te crees que es tan fácil cantar ópera. *(Pausa.)* ¿Pero por dónde estábamos del juicio?
ARQUITECTO.—¿Cómo? ¿Ahora eres tú el que te interesas?
EMPERADOR.—Ponte inmediatamente en tu sitio. ¿Es que no se hará jamás justicia en esta puñetera isla? Si Cicerón levantara la cabeza, menudas catilinarias.

(El ARQUITECTO *se pone la máscara de Presidente del Tribunal.)*

ARQUITECTO.—Se hará justicia. Que pase el siguiente testigo... Un momento. El tribunal considera que ya ha escuchado a todos los testigos. Pasamos a escuchar al propio acusado. Díganos, por favor, lo que opina de la carta que hemos encontrado. *(Lee.)* «Como el pájaro se dirige hacia la orilla sobre la cabeza de los pescadores remando...»
EMPERADOR.—No me digas más, reconozco el estilo. Es mi madre.
ARQUITECTO.—*(Murmurando mientras lee para sí.)*... ¡ah!... Esto es más interesante. «He sido siempre como una roca, como una biblioteca. Como una radiestesista, para mi hijo, para él...»
EMPERADOR.—El cuento de nunca acabar: lo mucho que me quiere, etcétera...
ARQUITECTO.—*(Murmura. Por fin lee.)*... «De niño había que tumbarle sobre la acera y cubrirle con una manta, luego había que presentarse allí, levantar la manta, decirle: «Hijo mío de mi vida, has muerto, lejos de tu mamá.»
EMPERADOR.—*(Impaciente.)* Juegos, juegos inocentes, nada más que juegos. No tiene nada de particular.
ARQUITECTO.—No olvide que esta carta la escribió días antes de su pretendida desaparición.

EMPERADOR.—¿Qué tengo yo que ver con que haya desaparecido?

ARQUITECTO.—*(Leyendo.)* «Temo... lo peor; últimamente se ha vuelto la mar de raro, me riñe por todo. Cuando vamos al bosque las noches claras ya no danzamos las farandolas[21] como antes, tengo la impresión que me busca, que me...» *(El* EMPERADOR *sale corriendo. El* ARQUITECTO *se quita su atuendo de Presidente de Tribunal y se coloca la máscara de madre y un chal por encima. El* EMPERADOR *danza frenéticamente, mientras canta:)*

EMPERADOR.—En la noche las estrellas se llenan de zapatos femeninos y de ligas. En la noche las estrellas me llaman donde centro mi cerebro.

(El ARQUITECTO-*madre danza con él como una especie de farandola.)*

EMPERADOR.—*(Parándose de pronto.)* Te echaré al perro.

ARQUITECTO.—*(Madre.)* ¿Qué dices, hijo mío?

EMPERADOR.—Te mataré y te daré de comer al perro.

ARQUITECTO.—*(Madre.)* Hijo mío, que cosas tan raras se te ocurren, ¡pobrecito, mi hijo de mi alma!

EMPERADOR.—¡Qué desgraciado soy, mamá!

ARQUITECTO.—*(Madre.)* Hijo mío, aquí estoy yo para consolarte.

EMPERADOR.—¿Me consolarás siempre?

ARQUITECTO.—*(Madre.)* ¿Cómo se te ocurren esas ideas? Ya no me quieres.

EMPERADOR.—Oh, sí. Mira: soy un plátano: pélame y cómeme si quieres.

ARQUITECTO.—*(Madre.)* Hijo mío. Sienta un poco la cabeza. Te estás volviendo loco. Estás siempre muy solo. Tienes que salir un poco más, ver alguna película.

EMPERADOR.—Todos me odian.

---

[21] Farandola (farándula), baile popular de Francia ejecutado por veinte o más personas formando cadenas con pañuelos.

ARQUITECTO.—*(Madre.)* Mécete en mi regazo.

(Coloca su cabeza sobre el regazo de ARQUITECTO-*madre. Llora.)*

ARQUITECTO.—*(Madre.)* No llores, hijo mío, pobrecito él. Todos le odian porque es el mejor. Todos le tienen envidia.

EMPERADOR.—Mamá, déjame que me recueste sobre tus pies, como de niño.

ARQUITECTO.—Ven, hijo mío. *(El* ARQUITECTO-*madre levanta los pies. El* EMPERADOR *sentado de espaldas a ella recuesta su cuello contra la palma de los pies. Es una posición muy difícil.)*

ARQUITECTO.—*(Madre.) (Cantándole una nana.)*

Pobrecito mi niño,
el más hermoso,
que no tiene que dañarle
ni el diablo ni el coco.

(La madre tararea la canción, mientras el EMPERADOR medio se amodorra. De pronto se levanta frenético.)

EMPERADOR.—Que me oigan todos los siglos: en efecto, yo maté a mi madre. Yo mismo, sin ayuda de nadie. *(El* ARQUITECTO *corre a ponerse el atuendo de Presidente de Tribunal.)*

ARQUITECTO.—¿Se da cuenta de la gravedad de lo que dice?

EMPERADOR.—No me importa. Que caigan sobre mí todos los castigos de la tierra y del cielo, que me devoren mil plantas carnívoras, que me beban la sangre de mis venas una escuadrilla de abejas gigantes, que me cuelguen cabeza abajo en el espacio infinito a millones de años luz de la tierra. Que los dragones de Satanás me tuesten las nalgas hasta que se conviertan en dos panderos rojos.

ARQUITECTO.—¿Cómo la mató?

EMPERADOR.—Le di un martillazo terrible en la cabeza mientras dormía.

ARQUITECTO.—¿Murió instantáneamente?

EMPERADOR.—Inmediatamente. *(Soñador.)* Qué impresión tan curiosa. De su cabeza entreabierta salieron como unos vapores y tuve la impresión de que un lagarto emergía de su herida. El lagarto se colocó sobre la mesa enfrente de mí, moviendo acompasadamente su bofe y mirándome fijamente. Al mirarle detenidamente, pude ver que su cara era mi cara. Cuando lo fui a coger desapareció como si fuera tan sólo un fantasma.

ARQUITECTO.—Pero cuando...

EMPERADOR.—Luego, no sé por qué, me entraron ganas de llorar. Me sentía muy desgraciado. Besé a mi madre y mis manos y mis labios se llenaron de su sangre. Por más que la llamaba no me respondía y me sentí cada vez más triste y más desgraciado.

EMPERADOR.—*(Buscando.)* Mamaíta. Soy yo. No quería hacerte daño. ¿Qué te pasa? ¿Por qué no te mueves? Mira qué de sangre tienes. ¿Quieres que haga gracias para ti? *(Comienza a contorsionarse, a hacer falsas piruetas, muy torpes.)*

EMPERADOR.—*(Recitando.)* «La liebre de marzo y el sombrero tomaban el té, un lirón estaba sentado entre ellos, profundamente dormido, y los otros dos apoyaban sus codos sobre él como un almohadón.» *(Gime.)*... Mamaíta, no quería hacerte daño, tan sólo te di un martillacito, con cuidado... «Hablaban por encima de su cabeza. Qué incómodo para el lirón, pensó Alicia, pero como duerme le traerá sin cuidado»[22]. ¿Te ha gustado, mamaíta? ¿Lo he dicho bien? Háblame. *(Pausa.)* Dime algo.

(El ARQUITECTO *golpea sobre la mesa.)*

ARQUITECTO.—*(Presidente del Tribunal.)* ¿Qué hizo usted del cadáver? ¿Cómo puede explicarnos el que nunca haya aparecido?

---

[22] Fragmentos del famoso *Alicia en el país de las Maravillas.*

EMPERADOR.—Pues... *(agacha la cabeza tímidamente)*... ¡Qué importa!
ARQUITECTO.—La justicia tiene que saberlo todo.
EMPERADOR.—*(Tras largo silencio en el que va a hablar y no lo hace. Por fin dice:)* El perro lobo que teníamos... el perro... el perro... bueno, se comió el cadáver.
ARQUITECTO.—¿Y usted no se lo impidió?
EMPERADOR.—Yo... más bien... bueno... ¿qué de malo tenía?... Tardó varios días. Cada día se comía un pedazo... Yo mismo le hacía entrar en la habitación.
ARQUITECTO.—¿Se comió hasta los huesos?
EMPERADOR.—Los que no trituró los tiré en las latas de basura de la Facultad de Medicina.
ARQUITECTO.—El tribunal juzgará sus actos.
EMPERADOR.—*(Falso.)* «Como un barco con sus velas desplegadas se para en todas las escaleras de su itinerario, así mi dolor padecerá todas las etapas del martirio»[24]. *(Auténtico.)* Arquitecto, condéname a morir, sé que soy culpable. Sé que lo merezco. No quiero vivir ni un minuto más esta vida de fracaso, de derrota. Me imagino que hubiera sido feliz dentro de un acuarium, sentado en una silla, rodeado de agua y de peces, y allí vendrían las niñas a mirarme los domingos. En vez de ello... Dime que me quieres, Arquitecto, dime que a pesar de todo no me rechazarás esta noche.
ARQUITECTO.—Aquí estamos para juzgarle.
EMPERADOR.—Arquitecto. Dime de una vez que me has condenado. *(Pausa.)* Oye, mírame. Soy tu Ave Fénix. *(Se acurruca tratando de imitar al Ave Fénix.)*
ARQUITECTO.—Nada de historias. Está ante el tribunal.
EMPERADOR.—Mis actos de acusación son sus cisnes redondos durante el último periodo de luna llena.
ARQUITECTO.—Será juzgado con toda severidad.

---

[23] Alusión a dos metáforas náuticas en Dante, *Purgatorio* I, 1-3, y *Paradiso* II, 1-15.

EMPERADOR.—¿Puedo preguntarle cuál será mi castigo?
ARQUITECTO.—La muerte.
EMPERADOR.—¿Puedo elegir la manera de morir?
ARQUITECTO.—Diga.
EMPERADOR.—Quisiera que me matara usted mismo de un martillazo. *(Pausa. Con verdad.)* Arquitecto, ¿me matarás tú mismo?
ARQUITECTO.—Supongo que podremos ejecutar su deseo.
EMPERADOR.—Pero sobre todo...
ARQUITECTO.—¿Qué?
EMPERADOR.—No es mi deseo; es una exigencia: la última voluntad de un condenado a muerte.
ARQUITECTO.—Dígala de una vez.
EMPERADOR.—Tras morir...
ARQUITECTO.—*(Quitándose la toga.)* Emperador, ¿hablas en serio?
EMPERADOR.—*(Grave.)* Muy en serio.
ARQUITECTO.—Pero si todo esto era una broma más: tu juicio, tu proceso... pero parece que lo tomas en serio. Emperador, sabes que te quiero.
EMPERADOR.—*(Muy emocionado.)* ¿Lo dices en serio?
ARQUITECTO.—Sí, muy en serio.
EMPERADOR.—*(Cambiando de tono.)* Pero hoy no jugábamos.
ARQUITECTO.—Hoy era como otros días.
EMPERADOR.—Era diferente; has aprendido muchas cosas que no quería decirte.
ARQUITECTO.—¿Qué importa? ¿Me besas? *(El* ARQUITECTO *cierra los ojos. El* EMPERADOR *se acerca a él y muy ceremoniosamente le besa en la frente.)*
ARQUITECTO.—¿En la frente?
EMPERADOR.—Yo te respeto. ¿Qué sabes tú de estas cosas?
ARQUITECTO.—Enséñame como me has enseñado todo.
EMPERADOR.—Hoy me matarás: me has condenado a muerte y tienes que ejecutar el castigo.
ARQUITECTO.—Pero...
EMPERADOR.—Lo exijo.

ARQUITECTO.—Pero morir no es un juego como los demás: es un juego irreparable.
EMPERADOR.—Lo exijo. Ese es mi castigo. Te estaba hablando de mi última voluntad.
ARQUITECTO.—A ver, di.
EMPERADOR.—Deseo que... deseo... bueno... que me comas... que me comas, Arquitecto; después de matarme tienes que comer mi cadáver entero. Quiero que seas tú y yo a la vez. Me comes entero... Arquitecto, ¿me oyes?

(Oscuro)

Cubierta de la edición de bolsillo francesa.

SEGUNDO CUADRO

Horas después

(Sobre la mesa que antes sirvió de tribunal está el cadáver desnudo del EMPERADOR. *La mesa está preparada como para comer. Al hacerse la luz, aparece el* ARQUITECTO *con una gran servilleta atada al cuello. Iluminación tétrica. Progresivamente, hasta el final de la obra, el* ARQUITECTO *va tomando los caracteres, la forma de hablar, el tono, la voz, las expresiones del* EMPERADOR. *Cuando vuelve la luz el* ARQUITECTO *está cortando el pie del* EMPERADOR *con tenedor y cuchillo.)*

ARQUITECTO.—Qué barbaridad, qué duro tenía el tobillo. *(Medio sierra para terminar de cortarlo sin lograrlo.)*

ARQUITECTO.—*(Dirigiéndose a la cabeza del* EMPERADOR.) ¡Eh! Emperador, qué te echabas en los huesos de los pies, no hay manera de cortártelos. *(Entra en la cabaña, sale con un serrucho.)*

ARQUITECTO.—*(Imitando al* EMPERADOR.*)* «Deseo que... deseo... bueno... que me comas.» Se dice pronto. *(Sierra con el serrucho. El pie no cede.)* Matarle... comerle... Y yo, aquí sólo. ¿Quién va a llevarme ahora a Babilonia sobre sus lomos de elefante? ¿Quién va a acariciarme la espalda antes de dormirme? ¿Quién me va a pegar con el látigo cuando lo deseo? *(Va hacia los matorrales.)*

ARQUITECTO.—Topos, traedme un hacha, a ver si por fin me cargo el pie. *(Estira la mano. No ocurre nada.)*

ARQUITECTO.—¿Pero qué pasa? No me obedecéis. Soy yo quien habla, soy el Arquitecto, no soy el Emperador, traedme un hacha. *(Estira la mano. Espera inquieto. Tras larga espera por fin asoma entre los matorrales un hacha.)*

ARQUITECTO.—Pues estamos buenos. Lo que han tardado los malditos. ¿Es que ya no me obedecen? Vamos a ver. Que caiga un rayo inmediatamente con su trueno. *(Espera inquietante.)* ¿Cómo? Esto tampoco. Me encuentro muy raro. Estoy inquieto. A ver: *(Contando con los dedos.)* Me he duchado en la fuente de la Juventud, he hecho todos los ejercicios... y sin embargo no me obedecen. *(Rayo y trueno.)*

ARQUITECTO.—¡Ah! Bueno, más vale tarde que nunca. *(Con el hacha se dirige al pie del* EMPERADOR. *Pega un formidable hachazo y lo corta. Lo toma en la mano.)*

ARQUITECTO.—*(Mira el pie con detenimiento.)* Sus cinco deditos. Sus callos. Buen pie, más bien grande, vive Dios. No tendrá aún cosquillas. *(Le hace cosquillas en la planta. Ríe el mismo.)*

ARQUITECTO.—Así a palo seco, comérmelo... Un poco de sal le vendrá la mar de bien. *(Le echa sal. Muerde, saborea el bocado.)*

ARQUITECTO.—¡Ah, pues no está nada mal. Me regalo por anticipado. *(De pronto deja de comer, amedrentado.)*

ARQUITECTO.—¿No será hoy abstinencia de carne? ¿Es viernes? Creo que no. De todas maneras, ¿cuál es la religión que no se come carne los viernes? Esa acémila de Emperador, oh, perdón *(Reverencia al muerto.)*, ni siquiera me lo ha dicho. Una es la de los viernes y la de... las cruzadas. ¡Ay, va! Pues no me acuerdo de nada. ¿Y la de los harenes? Menudo follón que tengo en la cabeza. Si mal no recuerdo lo de masturbarse está prohibido en todas... a no ser que... ¿dónde están esos malditos libros piadosos? Por cierto, y cuál es mi religión... Bueno, más vale que no me meta en eso. *(De pronto muy inquieto.)* ¡El papel! ¿Dónde está el papel? *(Sale, va a la cabaña, vuelve con un papelito en la mano.)*

ARQUITECTO.—*(Leyendo el papel.)* «Quiero que te vistas de mi madre para comerme. No te olvides sobre todo de ponerte el gran corsé con cordones que ella se ponía.» Pues se me olvidaba lo mejor. *(Va a la cabaña, vuelve con una gran maleta que dice con letras muy grandes: «Traje de mamaíta adorada».)*

ARQUITECTO.—*(Abriendo la maleta.)* ¡Cómo huele! ¡Qué barbaridad! Pero esta señora se meaba encima. Pero si huele peor aún que el Emperador. Y mira que cuando le daba por hurgarse el sexo olía a medio kilómetro. Qué manía, todo el día hurgándose, contemplándose, aireándolo... *(De pronto se ríe a carcajadas. Saca la faja, se la coloca. Comienza a atarse las cuerdas.)*

ARQUITECTO.—Pero ¿para qué tanta cuerda? Bueno, entonces, que quede bien entendido, lo que ya me he comido del pie no vale, ¿eh? *(Se ata furiosamente, se hace grandes líos, por fin se para.)*

ARQUITECTO.—Un momento. ¿Pero no hablo ya casi como el Emperador? ¿Qué me pasa? También hablo solo. Como decía él: «Estoy solo, esto me da pie para ser shakespeariano.» Maldita sea esta maldita faja. Pero quién la habrá inventado. Pero por qué me habrá ordenado que me disfrace de su madre. Bueno, más vale que no me meta en sus cosas. *(Para mejor poder tirar de las cuerdas, las hace pasar por una rama. Estira violentamente.)*

ARQUITECTO.—Que me ahogo. ¿Cómo harían con todo esto para dejarse meter mano? *(Imitando.)* «Ay, que me roza una hebilla.» *(Por fin ha terminado de ponerse la faja. Se coloca por encima un chal y un sombrero barroco.)*

ARQUITECTO.—¡Menuda madre! Ni la propia Popea.

Mis entrañas están preparadas para parir al mismísimo Nerón... *(Inquieto.)* Pero no decía esto el Emperador. Muera la monarquía. Estoy harto de ti y de tu madre. Será lo último que haga, comeré tu cadáver vestido de tu madre y luego emigraré con mi piragua. Siento bajo el agua la llamada de las diez mil trompetas de Jericó. De mi vientre saldrá la luz que me guiará hacia una región en la que viviré entre catástrofes de felicidad, en la que los niños correrán con las reinas de Saba, en la que los ancianos gobernarán a las mujeres de las manos acariciadoras y en la que regiones secretas están llenas de globos fantasmas. *(Está sucintamente vestido de madre. Se sienta a la mesa, y con ceremonia come un nuevo bocado del pie del Emperador.)*

ARQUITECTO.—*(Deja de masticar y se dirige lloroso a la cara del Emperador.)* Sabes, lo siento mucho... me siento muy solo sin ti. Me hacías mucha compañía. Prométeme que resucitarás... ¿No me dices nada? Dime al menos que me quieres.

ARQUITECTO.—Dime algo, por favor. Haz un milagro. Los santos hablan cuando están muertos, tú mismo me lo has contado... y hacen milagros. Haz un milagro para mí. Cualquier cosa, el caso es que te sienta presente. Mira este vaso de agua, conviértelo en whisky. *(Levanta el vaso.)*

ARQUITECTO.—Hala, hombre, haz un esfuerzo. Es un vasito de nada. Si te hubiera pedido que fundieras una campana, que volvieras fecundas a las mujeres estériles que la tocaran, podrías quejarte, pero... Sólo en whisky... Haz un esfuercito. Más fácil: en vino. *(Espera. No ocurre nada.)* En vino blanco. Es muy sencillo, este vasito de agua lo conviertes en vino blanco... en vino blanco aguado... Hala, hombre. *(Furioso.)* Bueno, pues no te hablo más, no me junto más contigo. Ya no te vuelvo a hacer caso. Que te pudras de asco. *(Muerde con violencia en el pie del Emperador. Se come otro bocado más grande aún. Toma el vaso de agua que había levantado antes. Se lo lleva a los labios para bebérselo. Inmediatamente, enfurecido, lo tira de su lado.)*

ARQUITECTO.—Berzas, más que berzas. Me lo has convertido en lejía. Eres un marica y un santo de risa. Si esto es un milagro yo soy María Guerrero[24]. *(Se come un gran pedazo del pie.)* ¿Qué habrá querido decir con eso? ¡Lejía! Luego hay otra vida, hay un más allá. Si tuviera una mesa de tres patas comunicaría con él. De todas maneras aún no ha llegado lo mejor. En cuanto me coma su cabeza, con su ácido nucleico, ahí va a estar lo bueno. Con su ácido nucleico en el gañote soy capaz de todo. *(Va a la cabaña, vuelve con un cincel y una pajita de horchata.)*

ARQUITECTO.—¿Me permites? Voy a absorberte primero tu ácido nucleico. Gracias a él... Pero ya veo... La lejía iba destinada a su madre... A su madre. *(Ríe.)* Gracias a tu ácido nucleico seré el dueño de tu memoria, de tus sueños, y por tanto, de tus pensamientos. *(Golpe con el cincel tras la oreja del* EMPERADOR. *Hace un agujero. Aplica al agujero la paja de horchata. Chupa, se le caen trozos como yogur que lame.)*

ARQUITECTO.—¡Uf! *(Acaba de terminar de tomárselo.)* Me siento otro hombre, estoy nuevo. Bueno, merezco una siestecita. Gorilas de la selva, traedme una hamaca. *(Espera confiado.)*

ARQUITECTO.—¿Qué pasa? ¿No me habéis oído? He pedido una hamaca. *(Espera impaciente.)*

ARQUITECTO.—¿Pero cómo? ¿No me vais a obedecer? *(Se dirige a los matorrales.)*

ARQUITECTO.—¡Eh! Tú, gorila, tú. Tráeme la hamaca... inmediatamente. *(Un momento de espera.)*

---

[24] Primera actriz en la Comedia de Madrid, que estrenó muchas obras —entre ellas las de José Echegaray, Benavente y los hermanos Quintero.

ARQUITECTO.—No sólo no me obedeces, sino que sales corriendo. ¡Te has vuelto loco! Un gorila loco. ¡Es el colmo! *(Se sienta y medio gime muy triste.)* He perdido toda mi autoridad.

(Oscuro)

CUADRO TERCERO

Días después

(Sobre la mesa tan sólo quedan los huesos del EMPERADOR. *El* ARQUITECTO *tiene ahora el mismo tono del* EMPERADOR, *las mismas maneras. Cuando vuelve la luz el* ARQUITECTO *está chupando un último hueso.)*

ARQUITECTO.—Y ahora que no puedo ya mandar a los animales, amaestraré una cabra. Cuando le diga que firme, con su pezuña pondrá un garabato, cuando le diga que imite a Einstein sacará la lengua, cuando le diga que se parezca a un obispo se pondrá de rodillas. Emperador, ¿dónde estás? ¿Cómo te he podido comer tan fácilmente? Polvo eres y en polvo te convertirás... ¿Y el sol? ¿Me obedecerá aún el sol? A ver: que se haga la noche.

(Espera. No ocurre nada.)

ARQUITECTO.—*(Chupa de nuevo el último hueso. Lo deposita sobre la mesa.)* Ahora sí que ya creo que puedo decir que ya he terminado. *(Los huesos están sobre la mesa formando una especie de esqueleto dislocado.)*

ARQUITECTO.—Hablo solo, como él. Tendría que reprimirme. *(Da un brusco manotazo y cae al suelo uno de los huesos. Se agacha para recogerlo tras la mesa. Desaparece, por tanto, a ojos del espectador.)*

VOZ DEL ARQUITECTO.—¿Dónde está este maldito hueso? *(Cuando emerge de debajo de la mesa, la persona que surge es ya el* EMPERADOR, *vestido como el* ARQUITECTO.)

EMPERADOR-ARQUITECTO.—¡Ah! Aquí está. Aquí está este maldito hueso de marras. Tengo que andar con ojo, de un manotazo lo tiro todo. Una cabra. Eso es, una cabra amaestrada que llegaría a ser Princesa de Caldea, o Emperadora, o cantante de ópera. *(Empuja la mesa en la que está el esqueleto hasta hacerla desaparecer por la izquierda.)*

EMPERADOR-ARQUITECTO.—Que desaparezcan todos los restos del ágape imperial. *(Vuelve y se instala en el centro del escenario.)*

EMPERADOR-ARQUITECTO.—¡Al fin solo! Esta vez sí que voy a ser feliz. Comienzo una nueva vida. Olvido lo pasado. Mejor aún, olvido todo lo pasado, pero para mejor tenerlo presente; para no volver a caer en ninguno de mis errores pasados. Nada de sentimiento. Ni una lágrima por nadie. *(Llora.)*

EMPERADOR-ARQUITECTO.—*(Reponiéndose.)* He dicho que ni una lágrima por nadie. Sereno. Tranquilo. Feliz. Sin complicaciones, sin dependencias. Haré estudios por mí mismo, llegaré al movimiento continuo. *(Estira una de sus piernas, mira en el sentido opuesto.)*

EMPERADOR.—Ráscame la pierna. Hazme cosquillas. *(Lentamente, con la cara vuelta para el lado opuesto, resbala una mano hasta su pierna. En el momento en que se toca la rodilla con la mano, dice excitado:)*

EMPERADOR.—Eso es, ahí, bien rascado, lentamente. Un poco más abajo. Con las uñas, más fuerte. Con las uñas te digo. Más fuerte. Más fuerte. Rasca más fuerte. Más fuerte aún. Más abajo. Más fuerte. Más abajo. *(De pronto se vuelve frenético. Coge la mano que rascaba —como si estuviera sin vida— con la otra y la contempla extrañado.)*

EMPERADOR.—Qué orgías me preparo. Yo solo: voy a ser el primero, el único. El mejor. Tendré que tener mucho ojo de que nadie me vea. Día y noche escondido. Y nada de lumbre, ni de cigarrillos, la llama de una colilla se ve en una pantalla de radar a diez mil kilómetros. Tendré que tomar todas las precauciones. Cantaré ópera: *(Cantando.)* Fígaro-Fígaro-Fígaro-Fígaro-Fígaro... Vaya tío. Y como estoy solo la humanidad no me envidiará, no me perseguirá. Nadie sabrá todo el talento que se encierra en este único habitante de un planeta, quiero decir de una isla solitaria. Y ahora que no me oyen. *(Loco de contento.)* ¡Viva yo! ¡Viva yo! ¡Viva yo!... ¡y mierda para los demás! ¡Viva yo! *(Danza feliz, como loco de contento. En ese instante ruido de avión. El* EMPERADOR *escucha inmóvil un instante. El* EMPERADOR, *como un animal perseguido, amenazado, se refugia, corretea, cava en la tierra, tiembla, por fin esconde su cabeza en la arena. Explosión. Resplandor de las llamas. El* EMPERADOR, *con la cabeza contra la arena y los oídos tapados con los dedos, tiembla de espanto. Pocos momentos después entra el* ARQUITECTO *con una gran maleta. Una cierta elegancia afectada. Intenta permanecer tranquilo. Toca al* EMPERADOR *con el bastón mientras le dice:)*

ARQUITECTO.—Caballero, ayúdeme, soy el único superviviente del accidente.

EMPERADOR.—*(Horrorizado.)* Fi, Fi, Fi, ¡Figa...! *(Le mira un instante aterrado y por fin sale corriendo.)*

TELÓN RÁPIDO

Colección Letras Hispánicas

ÚLTIMOS TÍTULOS PUBLICADOS

258 *Teatro Pánico*, FERNANDO ARRABAL.
Edición de Francisco Torres Monreal.

259 *Peñas Arriba*, JOSÉ MARÍA DE PEREDA.
Edición de Antonio Rey Hazas.

260 *Poeta en Nueva York*, FEDERICO GARCÍA LORCA.
Edición de María Clementa Millán (2.ª ed.).

261 *Lo demás es silencio*, AUGUSTO MONTERROSO.
Edición de Jorge Ruffinelli.

263 *Oppiano Licario*, JOSÉ LEZAMA LIMA.
Edición de César López.

264 *Silva de varia lección*, PEDRO MEXÍA.
Edición de Antonio Castro.

265 *Pasión de la Tierra*, VICENTE ALEIXANDRE.
Edición de Gabriele Morelli.

266 *El villano en su rincón*, LOPE DE VEGA.
Edición de Juan María Marín.

267 *La tía Tula*, MIGUEL DE UNAMUNO.
Edición de Carlos A. Longhurst (3.ª ed.).

268 *Poesía / Hospital de incurables*, JACINTO POLO DE MEDINA.
Edición de Francisco Javier Díez de Revenga.

269 *La nave de los locos*, PÍO BAROJA.
Edición de Francisco Flores Arroyuelo.

270 *La hija del aire*, PEDRO CALDERÓN DE LA BARCA.
Edición de Francisco Ruiz Ramón.

271 *Edad*, ANTONIO GAMONEDA.
Edición de Miguel Casado (4.ª ed.).

272 *El público*, FEDERICO GARCÍA LORCA.
Edición de María Clementa Millán (2.ª ed.).

273 *Romances históricos*, DUQUE DE RIVAS.
Edición de Salvador García Castañeda.

275 *Pero... ¿hubo alguna vez once mil vírgenes?*, ENRIQUE JARDIEL PONCELA.
Edición de Luis Alemany.

276 *La Hora de Todos y la Fortuna con seso*, FRANCISCO DE QUEVEDO.
Edición de Jean Bourg, Pierre Dupont y Pierre Geneste.

277 *Poesía española del siglo XVIII*.
Edición de Rogelio Reyes.

278 *Poemas en prosa. Poemas humanos. España, aparta de mí este cáliz*, CÉSAR VALLEJO.
Edición de Julio Vélez.

279 *Vida de don Quijote y Sancho*, MIGUEL DE UNAMUNO.
Edición de Alberto Navarro.

280 *Libro de Alexandre.*
Edición de Jesús Cañas Murillo.
281 *Poesía*, FRANCISCO DE MEDRANO.
Edición de Dámaso Alonso.
282 *Segunda Parte del Lazarillo.*
Edición de Pedro M. Piñero.
283 *Alma. Ars moriendi*, MANUEL MACHADO.
Edición de Pablo del Barco.
285 *Lunario sentimental*, LEOPOLDO LUGONES.
Edición de Jesús Benítez.
286 *Trilogía italiana. Teatro de farsa y calamidad*, FRANCISCO NIEVA.
Edición de Jesús María Barrajón.
287 *Poemas y antipoemas*, NICANOR PARRA.
Edición de René de Costa.
289 *Bajarse al moro*, JOSÉ LUIS ALONSO DE SANTOS.
Edición de Fermín J. Tamayo y Eugenia Popeanga. (2.ª ed.).
290 *Pepita Jiménez*, JUAN VALERA.
Edición de Leonardo Romero.
292 *Gente del 98. Arte, cine y ametralladora* , RICARDO BAROJA.
Edición de Pío Caro Baroja.
293 *Cantigas*, ALFONSO X EL SABIO.
Edición de Jesús Montoya.
294 *Nuestro Padre San Daniel*, GABRIEL MIRÓ.
Edición de Manuel Ruiz Funes.
295 *Versión Celeste*, JUAN LARREA.
Edición de Miguel Nieto.
296 *Introducción del Símbolo de la Fe*, FRAY LUIS DE GRANADA.
Edición de José María Balcells.
298 *La viuda blanca y negra*, RAMÓN GÓMEZ DE LA SERNA.
Edición de Rodolfo Cardona.
299 *La fiera, el rayo y la piedra*, PEDRO CALDERÓN DE LA BARCA.
Edición de Aurora Egido.
300 *La colmena*, CAMILO JOSÉ CELA.
Edición de Jorge Urrutia. (2.ª ed.).
301 *Poesía*, FRANCISCO DE FIGUEROA.
Edición de Mercedes López Suárez.
303 *Teatro español en un acto.*
Edición de Medardo Fraile.
308 *Viento del pueblo*, MIGUEL HERNÁNDEZ.
Edición de Juan Cano Ballesta.

DE PRÓXIMA APARICIÓN

El gran Galeoto, JOSÉ ECHEGARAY.
Edición de James H. Hoddie.